SPANISH SENTENCE BUILDERS

A lexicogrammar approach

Beginner to Pre-Intermediate

LISTENING Teacher Book

Answers and Transcripts

ISBN: 9783949651069

Imprint: Independently Published

Edited by Verónica Palacín

DEDICATION

For Catrina

- Gianfranco

For Ariella and Leonard

- Dylan

ABOUT THE AUTHORS

Gianfranco Conti taught for 25 years at schools in Italy, the UK and in Kuala Lumpur, Malaysia. He has also been a university lecturer, holds a Master's degree in Applied Linguistics and a PhD in metacognitive strategies as applied to second language writing. He is now an author, a popular independent educational consultant and professional development provider. He has written around 2,000 resources for the TES website, which have awarded him the Best Resources Contributor in 2015. He has co-authored the best-selling and influential book for world languages teachers, "The Language Teacher Toolkit" and "Breaking the sound barrier: Teaching learners how to listen", in which he puts forth his Listening As Modelling methodology. Gianfranco writes an influential blog on second language acquisition called The Language Gym, co-founded the interactive website language-gym.com and the Facebook professional group Global Innovative Language Teachers (GILT). Last but not least, Gianfranco has created the instructional approach known as E.P.I. (Extensive Processing Instruction).

Dylan Viñales has taught for 15 years, in schools in Bath, Beijing and Kuala Lumpur in state, independent and international settings. He lives in Kuala Lumpur. He is fluent in five languages, and gets by in several more. Dylan is, besides a teacher, a professional development provider, specialising in E.P.I., metacognition, teaching languages through music (especially ukulele) and cognitive science. In the last five years, together with Dr Conti, he has driven the implementation of E.P.I. in one of the top international schools in the world: Garden International School. This has allowed him to test, on a daily basis, the sequences and activities included in this book with excellent results (his students have won language competitions both locally and internationally). He has designed an original Spanish curriculum, bespoke instructional materials, based on Reading and Listening as Modelling (RAM and LAM). Dylan co-founded the fastest growing professional development group for modern languages teachers on Facebook, Global Innovative Languages Teachers, which includes over 12,000 teachers from all corners of the globe. He authors an influential blog on modern language pedagogy in which he supports the teaching of languages through E.P.I. Dylan is the lead author of Spanish content on the Language Gym website and oversees the technological development of the site. He holds a NPQML qualification and is now planning to pursue a Masters in second language acquisition.

ACKNOWLEDGEMENTS

Many thanks to the native speakers who contributed to the recording process. In particular, thanks to José Luis Larrosa, Andrea Lobo, Roberto Jover Soro, Alejandra López Tejedor, Inés Glowacka, Carlota Viguer Serina and Verónica Palacín for their time and effort in recording the sound files.

Secondly, our thanks and appreciation to the testing and proofreading team, Alfonso Maldonado, Ronan Jezequel, Julien Barrett, Tom Ball, Tom Weidner, Simona Gravina, Stefano Pianigiani, Miquél Marti Danés and Roberto Jover Soro. It is thanks to their time, patience and professionalism that we have been able to produce a refined and highly accurate product.

EXTENSIVE PROCESSING INSTRUCTION

If you have bought into our E.P.I. approach

Both this listening book and the original Sentence Builder book were originally designed as a resource to use in conjunction with our E.P.I. approach and teaching strategies. Our course favours flooding comprehensible input, organising content by communicative functions and related constructions, and a big focus on reading and listening as modelling. The aim of these books is to empower the beginner-to-pre-intermediate learner with linguistic tools - high-frequency structures and vocabulary - useful for real-life communication.

If you don't know or have NOT yet bought into our approach

If you would like to learn about E.P.I. you could read one of the authors' blogs. The definitive guide is Dr Conti's "Patterns First – How I Teach Lexicogrammar" which can be found on his blog (www.gianfrancoconti.com). There are also informative and user-friendly blogs on Dylan's Wordpress site (mrvinalesmfl.wordpress.com) such as "Using sentence builders to reduce (everyone's) workload and create more fluent linguists" which can be read to get teaching ideas and to learn how to structure a course, through all the stages of E.P.I.

The book "Breaking the Sound Barrier: Teaching Learners how to Listen" by Gianfranco Conti and Steve Smith, provides a detailed description of the approach and of the listening and speaking activities you can use in synergy with the present book.

INTRODUCTION

This Spanish Listening Booklet matches to the minutest details the content of the 19 units included in the best-selling workbook for beginner-to-pre-intermediate learners "Spanish sentence builders", by the same authors. For best results, the two books should be used together.

This book fully implements Dr Conti's popular approach to listening-skills instruction, L.A.M. (aka *Listening-As-Modelling*), laid out in his seminal work: "Breaking the Sound Barrier: Teaching Learners how to Listen" (Conti and Smith, 2019). L.A.M. is based on the concept that listening instruction should train students in the mastery of the key micro-listening skills identified by cognitive psychologists as follows:

- Phonemic processing
- Syllable processing
- Segmenting
- Lexical retrieval
- Parsing
- Meaning building
- Discourse building

This translates into aural instruction which deliberately targets the above micro-abilities through a range of tasks performed on input which is (1) highly patterned; (2) 90-98 % comprehensible; (3) flooded with the occurrence of the target structural patterns and lexical items; (4) delivered at a rate of speed which allows for learning; (5) designed to induce a priming effect on learning (i.e. to subconsciously sensitize the learners to the target language items).

Each unit contains around 13 listening tasks, which provide continuous and extensive recycling of the target constructions and vocabulary items and address the development of the key listening micro-skills. The tasks include engaging and tested Conti classics such as "Spot the intruder", "Missing details", "Faulty transcript", "Break the flow", "Faulty translation", "Gapped translation" and "Listening slalom", alongside more traditional listening comprehension tasks.

The tasks have been designed with the following key L.A.M. principles in mind: (1) the task's cognitive load must be appropriate to the level of the target learners; (2) the tasks must involve thorough processing (i.e. they should promote attention to details); (3) at the beginning stages, the tasks should promote noticing of the target language items by creating opportunities for cognitive comparison between the target language and the mother tongue (e.g. by using parallel texts in both languages, as happens in tasks such as "Bad translation" and "Gapped translation"); (4) the tasks should provide the learners with multiple entry points for acquisition by requiring them to engage with the same or similar texts at different levels of processing (from the identification of sounds to lexical retrieval; from the processing of structural patterns to the construction of meaning and discourse); (5) the tasks should model speaking micro-skills (e.g. pronunciation, decoding skills, functional and positional processing), not merely exam-taking techniques (as textbooks typically do); (6) tasks should be sequenced in a graded fashion, gradually phasing out support and increasing in difficulty.

The tasks have been tested countless times with students aged 11 to 13, with very positive feedback both in terms of engagement and perceived effectiveness. In particular, Dylan has been a pioneer of the approach and used it exclusively, and extensively, over the last 4 years at Garden International School, with excellent results in terms of both student engagement and progress.

HOW TO USE THIS BOOK

This book was intended as a Listening-for-learning tool aimed at paving the way for spoken and/or written production. If used in conjunction with the "Spanish Sentence Builders" book, the tasks in each unit would follow the presentational stage of the target constructions through sentence builders and associated teacher-led aural activities aimed at building phonological awareness (e.g. "Faulty echo", "Minimal pairs", "Spot the silent letters", "Write it as you hear it") and at establishing meaning (e.g. "Listening bingo", "Positive or Negative", "Faulty transcript").

We recommend interspersing the listening tasks in each unit with engaging vocabulary-building, reading and read-aloud activities rather than covering every single exercise in a sequential fashion. Also, teachers, in selecting the activities and crafting each instructional sequence, should be cognizant of the motivational levels and concentration span of their students. These will vary from class to class and will inevitably inform their choice of the amount and type of listening that will be most conducive to learning.

Please note that whilst the sequence in which the tasks are arranged in each unit was carefully crafted by the authors to provide a graded and balanced progression from easier to more challenging, teachers should not feel straight-jacketed by that order.

If the teacher has near native or native command of the target language, they may want to deliver some of activities by reading the text aloud themselves using the transcripts provided in the accompanying teacher book (bought separately). This will enable them to enhance the input by emphasizing specific aspects of the input (e.g. specific words, word endings or phonotactic features such as assimilation phenomena) they may want their students to notice. Input enhancement is a useful means to enhance acquisition and interpersonal listening whereby the teacher interacts with the learners is an effective way to make aural input more learnable, engaging and motivational.

ACCESSING THE SOUND FILES

The sound files can be accessed at www.language-gym.com/listening (password is "**penguin**").

Once you log on, you will see a menu, containing all the units in the book, ordered and labelled as per the book itself.

IMPORTANT NOTICE: Please note, that this section of the Language Gym can be accessed by any person who has bought this book, regardless of whether or not you are a subscriber to the main Language Gym site. Under no circumstances should this password be shared with a teacher, **outside of your school**, who has not bought the book. This extends to other schools inside a collective of schools, such as a trust. In brief: every school should buy their own book. The book should not be shared outside of your school.

CHOOSING A DIFFICULTY LEVEL

Please note that several activities contain a normal and a "harder" or "faster" version. These have been added in as a differentiation tool. It is up to the individual teacher's discretion which file to use, based on their knowledge of the students in their classes.

TABLE OF CONTENTS

UNIT 1 – TALKING ABOUT MY AGE

1. Fill in the blanks

a. Me **llamo** Alejandro.
b. Tengo **quince** años.
c. Tengo **dos** hermanos.
d. **Mi** hermano mayor se **llama** Roberto.
e. Mi **hermano** menor **se** llama Julián.
f. ¿Cómo **te** llamas tú?
g. ¿Cuántos **años** tienes?

2. Break the flow (draw a line between each word)

a. Me llamo Antonio y tengo doce años.
b. Tengo quince años.
c. Mi hermano se llama Pedro.
d. Mi hermana se llama Arantxa.
e. ¿Cuántos años tienes?
f. Mi hermano se llama Felipe.
g. ¿Cómo te llamas?

3. Arrange in the correct order

I am thirteen years old	2
Arantxa is fifteen years old	7
My name is Paco	**1**
My sister is called Arantxa	5
I have a brother and a sister	3
My brother is called Fernando	4
Fernando is thirteen years old	6

TRANSCRIPT: Me llamo Paco. Tengo trece años. Tengo un hermano y una hermana. Mi hermano se llama Fernando. Mi hermana se llama Arantxa. Fernando tiene trece años. Arantxa tiene quince años.

4. Spot the differences and correct your text

a. Me llamo **Marina**.

b. Tengo **doce** años.

c. Tengo dos **hermanos**.

d. Mi hermano mayor se llama **Paco**.

e. Mi hermano **menor** se llama Roberto.

f. Paco tiene **quince** años.

g. Roberto tiene **nueve** años.

h. ¿Cuántos años **tienes?**

5. Faulty translation: spot the translation errors and correct them

a. **MY** name is Andrea.
b. I am from **CHILE**.
c. I have three **SISTERS**.
d. My **YOUNGER** sister is called Amparo.
e. My **OLDER** sister is called **LUANA**.
f. Amparo is **11**.
g. Luisa is **13**.
h. I am **TWELVE** .

TRANSCRIPT:
a Me llamo Andrea.
b Soy de Chile.
c Tengo tres hermanas.
d. Mi hermana menor se llama Amparo.
e. Mi hermana mayor se llama Luana.
f. Amparo tiene once años.
g. Luana tiene trece años.
h. Yo tengo doce años.

6. Spot the missing words and write them in

a. **(Hola)** me llamo Pedro.

b. Soy **(de)** España.

c. Tengo trece **(años)**.

d. Tengo un hermano **(y)** una hermana.

e. Mi hermano **(se)** llama Roberto.

f. **(Mi)** hermana se llama Isabel.

g. Roberto **(tiene)** catorce años.

7. Listen, spot and correct the errors

a. Tengo catorce añoS.
b. Me llamO Carlos.
c. Mi hermano se llamA Pablo.
d. Tengo dos hermanoS.
e. Tengo **UN** hermano y una hermana.
f. ¿CuántoS años tienes?

8. Listen and fill in the grid

	Age	Brothers	Sisters
María	12	2	0
José	14	4	1
Paco	8	1	1
Arantxa	11	0	0
Emilia	5	2	2
Amparo	15	0	3

TRANSCRIPT:
(1) Me llamo María y tengo 12 años. Tengo 2 hermanos pero no tengo hermanas. **(2)** Me llamo José y tengo 14 años. Tengo 4 hermanos y una hermana. **(3)** Me llamo Paco y tengo 8 años. Tengo un hermano y una hermana. **(4)** Me llamo Arantxa y tengo 11 años. Soy hija única – no tengo hermanos. **(5)** Me llamo Emilia y tengo 5 años. Tengo dos hermanos y dos hermanas. **(6)** Me llamo Amparo y tengo 15 años. Tengo tres hermanas.

9. Complete with the missing letters

a. Me llam**O** Pedro.
b. Soy d**E** España.
c. Tengo quin**C**e años.
d. No tengo hermano**S**.
e. …pero tengo un**A** hermana.
f. Mi hermana se llam**A** Arantxa.
g. Arantxa tien**E** doce a**Ñ**os.
h. Y tú ¿cómo t**E** llamas?
i. ¿Cuántos años tiene**S**?

10. Translate the sentences you hear into English

1. I am called Roberto.
2. I am 14.
3. I have an older and a younger brother.
4. My younger brother is called Emilio.
5. My older brother is called Enrique.
6. Emilio is 12 years old.
7. Enrique is 15 years old.
8. And you, what is your name?
9. How old are you?

TRANSCRIPT: **(1)** Me llamo Roberto **(2)** Tengo catorce años **(3)** Tengo un hermano mayor y un hermano menor **(4)** Mi hermano menor se llama Emilio **(5)** Mi hermano mayor se llama Enrique **(6)** Emilio tiene doce años **(7)** Enrique tiene quince años **(8)** Y tú, ¿cómo te llamas? **(9)** ¿Cuántos años tienes?

11. Narrow listening - gap-fill

Me llamo **Antonio**. Soy de Barcelona, en **España**. En mi familia hay cuatro personas: **mi** madre, mi padre y mis **dos** hermanos. Mi hermano **menor** se llama Miguel y mi hermano **mayor** se llama Paco. Miguel tiene **6** años y mi hermano Paco tiene **15** años. Y tú, ¿cómo te **llamas**? ¿**cuántos** años tienes?

llamas	Antonio	menor	mi	seis
mayor	quince	España	cuántos	dos

12. Narrow listening - Gapped translation

ANSWERS: **(1)** Silvia **(2)** Malaga **(3)** 5 **(4)** Younger **(5)** Older **(6)** Older **(7)** Santi **(8)** 14 **(9)** Younger **(10)** 7 **(11)** What is your name? **(12)** How old are you? **(13)** How many brothers and sisters do you have?

TRANSCRIPT: Me llamo **Silvia**. Vivo en **Málaga,** en España. En mi familia hay **cinco** personas: mi madre, mi padre, mi hermano **menor**, mi hermano **mayor** y yo. Mi hermano **mayor** se llama **Santi**. Tiene **catorce** años. Mi hermano **menor** se llama Antonio. Tiene **siete** años. Y tú, **¿cómo te llamas? ¿cuántos años tienes? ¿cuántos hermanos tienes?**

DECODING SKILLS – PART 1

1. Listen and Complete

a. Me llamo Ale**j**andra.

b. Mi **h**ermana se llama Isabel.

c. Mi madre se **ll**ama Maria.

d. Mi hermano se llama Jos**é**.

e. Yo tengo **c**inco años.

f. Bel**é**n tiene dieciseis a**ñ**os.

g. Mi hermano menor tiene quin**c**e años.

h. **J**ulián tiene nueve años.

i. Na**ch**o tiene die**z** años.

2. Choose the correct spelling

	a	b
1	hermano	ermano
2	diex	diez
3	nuebe	nueve
4	siete	sete
5	once	onze
6	Aranca	Arantxa
7	Julián	Hulián
8	ocio	ocho
9	cuatro	quatro
10	quince	kince

3. Write it as you hear it – write in the brackets how the letter(s) underlined sound to your ear.

No fixed answer. Students carry out the task, then discuss their answers with with one or more classmates first, then feedback to teacher in whole-class discussion.

4. Compare the pronunciation of the underlined letters in each pair of words. What are the similarities/differences between the two languages?

No fixed answer. Students carry out the task, then discuss their answers with one or more classmates first, then feedback to teacher in whole-class discussion.

5. Spot the pronunciation mistakes

a. A**ñ**o

b. **C**inco

c. **H**ermana

d. Gui**ll**ermo

e. **J**ulián

f. **G**eraldo

g. **J**osé

h. Me **ll**amo

i. Ale**j**andro

j. Se **ll**ama

k. **G**eneroso

l. Cator**c**e

UNIT 2 – SAYING WHEN MY BIRTHDAY IS

1. Fill in the blanks

a. Me **llamo** Alejandro y mi cumpleaños es **el** quince de **mayo**.
b. **Me** llamo Pedro y **mi** cumpleaños es el **dos** de **marzo**.
c. Me llamo **Mario** y mi cumpleaños es el **tres** de **junio**.
d. **Me** llamo Alfonso y mi **cumpleaños** es el **seis** de **septiembre**.
e. **Me llamo** Pablo y mi cumpleaños **es** el **veinte** de **diciembre**.

2. Break the flow (draw a line between each word)

a. Mi cumpleaños es el trece de octubre.

b. Mi cumpleaños es el nueve de mayo.

c. ¿Cuándo es tu cumpleaños?

d. Mi cumpleaños es el uno de agosto.

e. Mi cumpleaños es el dieciséis de mayo.

f. ¿Cuándo es su cumpleaños?

g. Mi hermano tiene catorce años.

h. Su cumpleaños es el dos de enero.

3. Arrange in the correct order

Hola, me llamo Fernando	1
Tengo un hermano	6
Soy mexicano	2
Su cumpleaños es el cinco de marzo	7
…pero vivo en Estados Unidos	3
Mi cumpleaños es el trece de julio	5
Tengo diez años	4

4. Listen, spot and correct the errors

a. Me llamo **Jorge**.

b. No tengo **hermanas**.

c. Soy **hijo único**.

d. Soy de **Chile**.

e. …pero vivo en **Inglaterra**.

f. Tengo **cinco** años.

g. Mi cumpleaños es el catorce de **julio**.

h. Mi **amiga** Luisa tiene trece años.

i. Su cumpleaños es el **ocho** de octubre.

5. Faulty translation: spot the translation errors and correct them

a. My name is Roberto and am eleven years old. My birthday is on 4th **June**.
b. My mother's name is Arantxa. She is **27** years old. Her birthday on **14th** August.
c. My father's name is Pablo. He is 39 years old. His birthday is on **18th** January.
d. I have three **sisters**.
e. My brother Alex is **14** and his birthday is on **7th** July.
f. My brother Nico is **19** and his birthday is on 22nd **March**.
g. Do you have any **sisters**?

TRANSCRIPT: (a) Me llamo Roberto y tengo 11 años. Mi cumpleaños es el 4 de junio. **(b)** Mi madre se llama Arantxa. Tiene 27 años. Su cumpleaños es el 14 de agosto. **(c)** Mi padre se llama Pablo. Tiene 39 años. Su cumpleaños es el 18 de enero. **(d)** Tengo tres hermanas. **(e)** Mi hermano Alex tiene 14 años y su cumpleaños es el 7 de julio. **(f)** Mi hermano Nico tiene 19 años y su cumpleaños es el 22 de marzo. **(g)** ¿Tienes hermanas?

6. Spot the missing words and write them in

Me llamo Roberto, soy español **y** vivo en Argentina. Tengo doce **años**. En mi familia hay cinco **personas** : mi padre, mi madre, **mis** dos hermanos y yo. Mi hermano mayor **se** llama Pedro y **mi** hermano menor se llama Renato. Pedro tiene quince años y **su** cumpleaños es **el** doce de abril. Renato tiene nueve años y su cumpleaños es **el** veinte de julio.

7. Listen, spot and correct the errors

a. Mi cumpleaños **es** el veinte de junio.
b. Mi amiga se llama Patricia. **Tiene** diez años y su cumpleaños es el quince de mayo.
c. El cumpleaños de mi amiga es **~~en~~** el nueve de abril.
d. Mi madre **tiene** treinta y ocho años y su **cumpleaños** es el treinta de noviembre.
e. Mi amigo se **llama** Roberto. Su cumpleaños es el catorce de **octubre**.

9. Complete with the missing letters

a. Me llamo Ser**gi**o.
b. No tengo **h**ermanos.
c. Soy hi**j**o único.
d. So**y** de Perú.
e. …pero viv**o** en Italia.
f. Tengo quin**c**e años.
g. Mi cumpleaños es el catorce de **j**unio.
h. Mi no**v**ia, Carmen, tiene trece años.
i. Su cumpleaños es el diecioc**h**o de octubre.

8. Listen and fill in the grid

	Country	Age	Birthday
1. Andrea	**Chile**	**12**	**3.06**
2. Paco	**Colombia**	**15**	**17.07**
3. Nina	**España**	**9**	**12.11**
4. Dylan	**Perú**	**19**	**7.06**
5. Miguel	**Ecuador**	**16**	**20.09**
6. Marta	**México**	**14**	**14.12**

TRANSCRIPT

1. Hola, me llamo **Andrea** y soy de Chile. Tengo 12 años y mi cumpleaños es el 3 de junio.
2. Hola me llamo **Paco** y soy de Colombia. Tengo 15 años y mi cumpleaños es el 17 de julio.
3. Hola, me llamo **Nina** y soy de España. Tengo 9 años y mi cumpleaños es el 12 de noviembre.
4. Hola me llamo **Dylan** y soy de Perú. Tengo 19 años y mi cumpleaños es el 7 de junio.
5. Hola me llamo **Miguel** y soy de Ecuador. Tengo 16 años y mi cumpleaños es el 20 de septiembre.
6. Hola, me llamo **Marta** y soy de México. Tengo 14 años y mi cumpleaños es el 14 de diciembre.

10. Translate the ten sentences you hear into English ANSWERS:

1. My name is Carmen.
2. I am 15 years old.
3. My birthday is on the 1st January.
4. I have two sisters.
5. My older sister is called Belén.
6. She is 17 years old.
7. Her birthday is on the 14th July.
8. My younger sister is called Elena.
9. Elena is 12 years old.
10. Her birthday is on the 10th November.

10. Translate the ten sentences you hear into English TRANSCRIPT:

1. Me llamo Carmen.
2. Tengo quince años.
3. Mi cumpleaños es el uno de enero.
4. Tengo dos hermanas.
5. Mi hermana mayor se llama Belén.
6. Tiene diecisiete años.
7. Su cumpleaños es el catorce de julio.
8. Mi hermana menor se llama Elena.
9. Elena tiene doce años.
10. Su cumpleaños es el diez de noviembre.

11. Narrow listening: gap-fill

Hola, me llamo Silvia y **soy** de Bilbao, España. Tengo **14** años. Mi cumpleaños es el **30** de mayo. Tengo dos hermanos, Felipe y Gonzalo. Felipe **tiene** catorce años y su cumpleaños es el veintiuno **de** marzo. Mi hermano Gonzalo tiene dieciséis años y **su** cumpleaños es el **20** de junio. En **casa** tenemos un hámster también. Se **llama** Guapo y tiene dos años. Mi mejor **amiga** se llama Magda. Tiene **15** años. Su cumpleaños es el **12** de enero.

12. Narrow listening: fill in the grid in English

Name	Jorge
Town	Gerona
Age	18
Birthday	20 de junio
Brother's age	15
Brother's birthday	12 de enero

TRANSCRIPT:
Hola, me llamo Jorge y soy de Gerona. Tengo dieciocho años y mi cumpleaños es el veinte de junio. Mi hermano tiene quince años y su cumpleaños es el doce de enero.

13. Narrow listening - Gapped translation

My name is Ariela. I am **14** years old. I am from **Valencia**, in **Spain**. My birthday is on 16th **July**. I have a **brother** called **Jaime**. He is **11** years old. **His** birthday is on **13th** December. My best friend is called **Ana**. She is **15** years old and her birthday is on **10th March**. My **cousin** is called Andrea. She is **12** years old and her birthday is on **1st April**. At home we have a pet. It is a **snake**. **Its name is** Maite and it is **3** years old.
TRANSCRIPT: Me llamo Ariela. Tengo **14** años. Soy de **Valencia**, en **España**. Mi cumpleaños es el 16 de **julio**. Tengo un **hermano** que se llama **Jaime**. Tiene **once** años. **Su** cumpleaños es el **13** de diciembre. Mi mejor amiga se llama **Ana**. Tiene **15** años y su cumpleaños es el **diez de marzo**. Mi **prima** se llama Andrea. Tiene **12** años y su cumpleaños es el **uno** de abril. En casa tenemos una mascota. Es una **serpiente**. **Se llama** Maite y tiene **3** años.

14. Listening slalom: follow the speaker from top to bottom and number the boxes accordingly

1 - Vero	2 - Leo	3 - Alejandro	4 - Gabriela	5 - Carlos
My name is Vero (1)	My brother is called Leo (2)	My name is Alejandro (3)	My name is Gabriela (4)	My name is Carlos (5)
I am from Valencia (5)	**I am from Barbastro (1)**	I am from Barcelona (4)	He is from Santiago (2)	I am from Granada (3)
He is 14 (2)	I am 21 (3)	**I am 13 (1)**	I am 9 (5)	I am 16 (4)
His birthday is on 15th March (2)	**My birthday is on 16th July (1)**	My birthday is on 21st May (4)	My birthday is on 23rd June (5)	My birthday is on 30th August (3)
I have a friend (5)	I have a hamster (3)	I have a boyfriend (4)	He has a girlfriend (2)	**I have a sister (1)**
His birthday is on 12th (4)	Her birthday is on 7th (2)	**Her birthday is on 1st (1)**	His birthday is on 2nd (3)	Her birthday is on 30th (5)
January (1)	March (4)	October (2)	June (5)	September (3)

TRANSCRIPT:
(1) *Example: Me llamo Vero. Soy de Barbastro. Tengo trece años y mi cumpleaños es el 16 de julio. Tengo una hermana. Su cumpleaños es el uno de enero.*
(2) Mi hermano se llama Leo. Él es de Santiago. Tiene catorce años. Su cumpleaños es el quince de marzo. Tiene novia. Su cumpleaños es el 7 de octubre.
(3) Me llamo Alejandro. Soy de Granada. Tengo veintiún años. Mi cumpleaños es el 30 de agosto. Tengo un hámster. Su cumpleaños es el 2 de septiembre.
(4) Me llamo Gabriela. Soy de Barcelona. Tengo dieciséis años. Mi cumpleaños es el 21 de mayo. Tengo novio. Su cumpleaños es el 12 de marzo.
(5) Me llamo Carlos. Soy de Valencia. Tengo nueve años. Mi cumpleaños es el 23 de junio. Tengo una amiga. Su cumpleaños es el 30 de junio.

15. Faulty translation: spot the translation errors and correct them

ANSWERS: My name is Marco and I am from **Italy**. I am **12** years old. My parents are called Adolfo and Marina. They are **48** years old. My mother's birthday is on 21 March. My father's birthday is on **14th August**. I have two **brothers**, Rafa and Antonio. Rafa is 10 years old and Antonio is **11**. Rafa's birthday is on 11th **June**. Antonio's birthday in on **21st** April. At home we have a pet, a **cat**. Its name is **Paco**, it's 1 year old. I have a girlfriend. Her name is Petra. She is **13**. Her birthday is on 16th **November**.

TRANSCRIPT: Me llamo Marco y soy de **Italia**. Tengo **12** años. Mis padres se llaman Adolfo y Marina. Tienen **48** años. El cumpleaños de mi madre es el 21 de marzo. El cumpleaños de mi padre es el **14** de agosto. Tengo dos **hermanos**, Rafa y Antonio. Rafa tiene 10 años y Antonio tiene **11**. El cumpleaños de Rafa es el 11 de **junio**. El cumpleaños de Antonio es el **21** de abril. En casa tenemos una mascota, un **gato**. Se llama **Paco**, tiene 1 año. Tengo una novia. Se llama Petra. Tiene **13** años. Su cumpleaños es el 16 de **noviembre**.

DECODING SKILLS - PART 2

1. Listen and complete

a. **c**inco
b. o**ch**o
c. die**z**
d. on**c**e
e. dieci**sé**is
f. me **ll**amo
g. mar**z**o
h. m**ay**o
i. nov**i**embre
j. dic**i**embre
k. cumplea**ñ**os
l. cator**c**e
m. diecio**ch**o
n. **j**unio

2.Write it as you hear it – listen to the alphabet and write it as you hear it

No fixed answer. Students carry out the task, then discuss their answers with with one or more classmates first, then feedback to teacher in whole-class discussion.

3. Tick the letter you hear

	a	b	c
1	**J**	H	G
2	L	**LL**	N
3	**X**	Y	J
4	E	I	**Y**
5	C	**Z**	F
6	G	J	**H**
7	**K**	H	J

4. Write a month starting with each of the letters you hear (recording only contains the letter in brackets)

1. (M) marzo / mayo
2. (O) octubre
3. (A) abril / agosto
4. (F) febrero
5. (J) junio / julio
6. (N) noviembre
7. (E) enero

5. Spot the intruder letter

a. t
b. l
c. j
d. l
e. h
f. i
g. e
h. a

6. Listen and write the names being spelled out (Names are spelled out letter by letter)

1. Nina
2. Paco
3. Javier
4. Jorge
5. Julio
6. Juan Carlos

UNIT 3 – DESCRIBING HAIR AND EYES

1. Fill in the blanks

a. Tengo **el** pelo **pelirrojo**.

b. Mi hermano **tiene** el pelo **moreno**.

c. Tengo **los** ojos **azules**.

d. Antonio **tiene** el **pelo** rubio y los ojos **verdes**.

e. **Mi** hermana **lleva** gafas.

f. Tengo **el pelo** corto y en **punta**.

g. Tengo los **ojos** marrones y **llevo** barba.

2. Break the flow

a. Tengo el pelo moreno y liso.

b. Tiene los ojos azules y grandes.

c. Tiene el pelo moreno y a media melena.

d. Tiene el pelo castaño, largo y rizado.

e. No tiene pelo.

f. Tiene los ojos negros y lleva gafas.

g. Tiene los ojos marrones y lleva bigote.

3. Arrange in the correct order

Me llamo Fran	**1**
Tengo doce años	**3**
Mi cumpleaños es el treinta de marzo	**4**
Tengo el pelo moreno, liso y corto	**6**
Soy de Valladolid, en España	**2**
Tiene el pelo rubio y los ojos verdes	**10**
Él tiene quince años	**8**
Su cumpleaños es el catorce de marzo	**9**
Tengo un hermano	**7**
Tengo los ojos negros	**5**

4. Spot the intruders – Identify the word in each sentence the speaker is NOT saying

a. Tengo el pelo ~~**muy**~~ largo.

b. Tengo el pelo a ~~**la**~~ media melena.

c. Mi padre tiene el pelo ~~**bastante**~~ corto.

d. Mi madre ~~**no**~~ tiene el pelo largo.

e. Mi hermano ~~**menor**~~ tiene el pelo rubio.

f. Mi hermana tiene el pelo ~~**moreno**~~ en punta.

5. Listen, spot and correct the errors

a. Me llamo **Silvia**.

b. Tengo **diecisiete** años.

c. Soy de **Alemania**.

d. …pero vivo en **Irlanda**.

e. Tengo el pelo **moreno** y los ojos marrones.

f. Tengo el pelo largo y **rizado**.

g. Mi mejor amiga, Kat, tiene **quince** años.

h. Es guapa. Tiene el pelo rubio, muy largo y **ondulado**.

i. Tiene los ojos **azules** y lleva gafas.

6. Fill in the blanks

a. Tengo el pelo en **punta**.

b. Tengo el pelo **castaño**.

c. Tengo los ojos **negros**.

d. Tengo el pelo **largo**.

e. Tengo los ojos **azules**.

f. No llevo **gafas**.

g. No llevo **bigote**.

h. Llevo **barba**.

i. Mi padre **lleva** bigote.

j. Mi hermano tiene los ojos **grises**.

7. Faulty translation: spot and correct the translation errors

ANSWERS: (a) I am **fifteen** years old. **(b)** My birthday is on 14th **July**. **(c)** I have **three** brothers. **(d)** I have dark brown hair, **short** and curly. **(e)** I have **green** eyes and wear glasses. **(f)** My older brother is called Paco. He is **nineteen**. **(g)** His birthday is on 20th **June**. **(h)** He has blond hair, short and **straight**. **(i)** He has **grey** eyes and wears glasses. **(j)** He has a **beard**.

TRANSCRIPT:

a. Tengo quince años.
b. Mi cumpleaños es el 14 de julio.
c. Tengo tres hermanos.
d. Tengo el pelo moreno, corto y rizado.
e. Tengo los ojos verdes y llevo gafas.
f. Mi hermano mayor se llama Paco. Tiene diecinueve años.
g. Su cumpleaños es el 20 de junio.
h. Tiene el pelo rubio, corto y liso.
i. Tiene los ojos grises y lleva gafas.
j. Lleva barba.

8. Spot the missing words and write them in

Me llamo Juan Miguel. Tengo **el** pelo rubio, largo **y** rizado y los ojos azules. Mi madre se llama Marta y mi padre **se** llama Claudio. Mi madre tiene el pelo moreno, muy largo y ondulado, y **los** ojos marrones. Mi **padre** es completamente calvo y tiene los ojos verdes. Tengo un hermano **que** se llama Fernando. **Tiene** el pelo rubio, corto y rizado, y los ojos azules. Fernando lleva gafas. También tengo una novia **que** se llama Patricia. Tiene el pelo pelirrojo, **a** media melena y liso. Tiene los ojos verdes.

9. Listen, spot and correct the errors

TRANSCRIPT:

a. Me llam**O** Miguel.
b. Tengo trece a**ñ**os.
c. Tengo **el** pelo moreno, largo y liso.
d. Tengo **los ojos azules**.
e. **Llevo gafas.**
f. Mi hermano se llam**a** Pablo.
g. Tengo **cat**orce años.
h. Pablo **tiene** el pelo rubio, corto y rizado.
i. Tiene **los ojos negros**. No lleva gafas.

10. Listen and fill in the grid

	Hair	Eyes	Wears glasses
José	Red	Blue	Yes
Paco	Brown	Grey	No
Nina	Dark brown	Green	No
Dylan	Blond	Blue	No
Miguel	Red	Brown	Yes
Marta	Black	Grey	No

10. Listen and fill in the grid

TRANSCRIPT:

1. Me llamo **José**. Tengo el pelo pelirrojo y los ojos azules. Llevo gafas.
2. Me llamo **Paco**. Tengo el pelo castaño y los ojos grises. No llevo gafas.
3. Me llamo **Nina** y tengo el pelo castaño oscuro y los ojos verdes. No llevo gafas.
4. Me llamo **Dylan**. Tengo el pelo rubio y los ojos azules. Llevo gafas.
5. Me llamo **Miguel**. Tengo el pelo pelirrojo y los ojos marrones. Llevo gafas.
6. Me llamo **Marta**. Tengo el pelo moreno y los ojos grises. No llevo gafas.

11. Translate the ten sentences you hear into English

ANSWERS

1. I have brown hair.
2. My mother has blond hair.
3. My father has dark brown hair.
4. My brother has red hair.
5. My sister has dark brown hair.
6. I have curly hair.
7. My mother has straight hair.
8. My father has long hair.
9. My brother has wavy hair.
10. My sister has medium length hair.

TRANSCRIPT

1. Tengo el pelo castaño.
2. Mi madre tiene el pelo rubio.
3. Mi padre tiene el pelo moreno.
4. Mi hermano tiene el pelo pelirrojo.
5. Mi hermana tiene el pelo moreno.
6. Tengo el pelo rizado.
7. Mi madre tiene el pelo liso.
8. Mi padre tiene el pelo largo.
9. Mi hermano tiene el pelo ondulado.
10. Mi hermana tiene el pelo a media melena.

12. Narrow listening - Gapped translation

ANSWERS: My name is Verónica, I am **15** years old. My birthday is on the **12 January**. In my family there are **5** people: my father, my mother, my two **sisters** and me. My mother has **brown** hair, **long** and curly. She has **blue** eyes. My father has grey hair, **short** and straight. He has **brown** eyes. My two sisters have **blond** hair, long and straight. They both have **green** eyes. I have brown **very short** hair. Before, I used to have it **long**.

TRANSCRIPT: Me llamo Verónica, tengo **15** años. Mi cumpleaños es el **12 de enero.** En mi familia hay **5** personas: mi padre, mi madre, mis dos **hermanas** y yo. Mi madre tiene el pelo **castaño**, **largo** y rizado. Tiene los ojos **azules.** Mi padre tiene el pelo gris, **corto** y liso. Tiene los ojos **marrones.** Mis dos hermanas tienen el pelo **rubio,** largo y liso. Las dos tienen los ojos **verdes**. Yo tengo el pelo castaño **muy corto**. Sin embargo, antes lo tenía **largo**.

13. Listening slalom: follow the speaker from top to bottom and number the boxes accordingly

1 - Fran	2 - Alia	3 - Kevin	4 - Manuela	5 - Juan Carlos
My name is Fran (1)	My name is Alia (2)	My name is Kevin (3)	My name is Manuela (4)	My name is Juan Carlos (5)
I am from Valencia (4)	**I am from Cádiz (1)**	I am from Barcelona (5)	I am from Santander (2)	I am from Granada (3)
but live in Rome, Italy (3)	but live in Paris, France (4)	but live in Santiago, Chile (2)	**but live in London, England (1)**	but live in Madrid, Spain (5)
I have one brother (4)	I have two brothers (2)	**I am only child (1)**	I have one sister (5)	I have one brother and one sister (3)
I have blond hair (3)	I have dark brown hair(4)	I have red hair (5)	I have black hair (2)	**I have brown hair (1)**
long and straight (5)	short and spiky (2)	**long and curly (1)**	Short and wavy (4)	medium length and straight (3)
I have blue eyes (1)	I have brown eyes (5)	I have green eyes (2)	I have grey eyes (3)	I have blue eyes (4)

TRANSCRIPT:

(1) Example: Me llamo **Fran.** Soy de Cádiz pero vivo en Londres, Inglaterra. Soy hijo único y tengo el pelo castaño, largo y rizado. Tengo los ojos azules. **(2)** Me llamo **Alia**. Soy de Santander pero vivo en Santiago, Chile. Tengo dos hermanos. Tengo el pelo moreno, corto y en punta. Tengo los ojos verdes. **(3)** Me llamo **Kevin**. Soy de Granada pero vivo en Roma, Italia. Tengo un hermano y una hermana. Tengo el pelo rubio, a media melena y liso. Tengo los ojos grises. **(4)** Me llamo **Manuela**. Soy de Valencia pero vivo en París, Francia. Tengo un hermano. Tengo el pelo moreno, corto y ondulado. Tengo los ojos azules. **(5)** Me llamo **Juan Carlos**. Soy de Barcelona pero vivo en Madrid, España. Tengo una hermana. Tengo el pelo pelirrojo, largo y liso. Tengo los ojos marrones.

14. Fill in the grid

ANSWERS: 1. Mario: Example **2. Andrea:** 15, one sister, green **3. Andrés:** 15th January, brown, short, straight hair **4. Eugenio:** 10, three sisters, brown eyes. **5. Melania:** 25th December, red, crew cut (very short) straight **6. Alfonso:** 14, only child, grey eyes.

TRANSCRIPT: (1) Me llamo Mario. Tengo 12 años y mi cumpleaños es el 13 de agosto. Tengo un hermano y una hermana. Tengo el pelo rubio, corto y rizado. Tengo los ojos marrones. **(2)** Me llamo Andrea. Tengo 15 años y mi cumpleaños es el 20 de junio. Tengo una hermana. Tengo el pelo moreno, largo y ondulado. Tengo los ojos verdes. **(3)** Me llamo Andrés. Tengo 16 años y mi cumpleaños es el 15 de enero. Tengo dos hermanos. Tengo el pelo castaño, corto y liso. Tengo los ojos azules. **(4)** Me llamo Eugenio. Tengo 10 años y mi cumpleaños es el 8 de marzo. Tengo tres hermanas. Tengo el pelo moreno, corto y en punta. Tengo los ojos marrones. **(5)** Me llamo Melania. Tengo 11 años y mi cumpleaños es el 25 de diciembre. Tengo un hermano. Tengo el pelo pelirrojo, rapado y liso. Tengo los ojos marrones. **(6)** Me llamo Alfonso. Tengo 14 años y mi cumpleaños es el 19 de mayo. Soy hijo único. Tengo el pelo rubio, corto y rizado. Tengo los ojos grises.

DECODING SKILLS – PART 3

1. What are their names? (Names are spelled out letter by letter)

1. Emilio
2. Sergio
3. Julia
4. Mariana
5. Vicente
6. Alejandro
7. Juan Pablo

2. Complete the words

a. Castaño

b. Rizado

c. Verdes

d. Me llamo

e. Ojos

f. Catorce

g. Años

h. Pelirrojo

i. Marrones

j. Lisos

3. Match the rhyming pairs

1. Amargo – c. largo
2. Pierdes – e. verdes
3. Castaño – a. año
4. Rizado – d. rapado
5. Llueve – g. nueve
6. Piso – h. liso
7. Tengo – f. vengo
8. Pelirrojo – b. ojo

4. Faulty echo

a. Castaño (N instead of Ñ)

b. Verdes (pronounced as BUR)

c. Catorce (C pronounced as S)

d. Liso (pronounced as LAISO)

e. Azules (pronounced with English Z)

f. Me llamo (LL pronounced as L)

g. Ojos (J pronounced as English J)

h. Pelirrojo (RR pronounced as English R)

i. Once (pronounced as UANS)

5. Spot the pronunciation errors

a. LL as L

b. N instead of Ñ

c. liso as LAISO

d. JO as English JO

e. Gafers like Wafers

f. HER as English HER

g. LL as L

h. CE as CHE

i. U in ondUlado pronounced the English way (like 'do' – this mistake is a bit subtle!)

j. Verdes pronounced like BIRDIES

6. Track the sounds – Listen and write down how many times you hear the sounds 'J/Ge/Gi' 'TH' and 'LL' in each of the descriptions below

J/G /X/	10/1
Th sound /θ/	4
Ll /Y/	3

Me *ll*amo **J**or**g**e y soy de Mur**c**ia. Mi madre se *ll*ama **J**uanita y mi padre **J**avier. Vivimos en Guadala**j**ara, en México. Tengo el pelo rubio y los o**j**os a**z**ules y *ll*evo gafas. Mi madre tiene el pelo pelirro**j**o y los o**j**os a**z**ules. Mi padre tiene el pelo rubio y los o**j**os verdes. En mi tiempo libre me gusta mucho **j**ugar al a**j**edre**z**.

UNIT 4 – SAYING WHERE I LIVE AND AM FROM

1. Fill in the blanks

a. Hola. Me **llamo** David. Vivo en una **casa** muy grande en el centro de la **ciudad**.

b. Buenos días. Me llamo Conchi. **Soy** de Madrid. **Vivo** en un piso pequeño en las **afueras**.

c. ¿Qué tal? **Me** llamo Maya. Soy **de** Cádiz. Vivo en un **piso** bonito en la costa.

d. Hola. Me llamo **Pedro**. Soy de Quito, en **Ecuador**. Vivo en una casa muy **pequeña** en la montaña.

e. Buenos **días**. Me llamo Daniel, vivo en Buenos Aires, en **Argentina**. Vivo en un edificio **antiguo** en el centro de Buenos Aires.

f. **Hola**. Me llamo Beatriz. Vivo en **una** casa grande pero un poco **fea** en La Habana.

2. Multiple choice quiz: select the correct location

	a	b	c
Javier	Bilbao	**Valencia**	Granada
Samuel	**Cartagena**	Madrid	La Habana
Juan Pablo	**Lima**	Zaragoza	Cádiz
Paco	Santiago	**Quito**	Madrid
Selina	Madrid	Barcelona	**Bilbao**
Ariana	Gerona	Zaragoza	**Málaga**
Patricio	Lima	**Bogotá**	Santiago
Manuel	Barcelona	Montevideo	**Marbella**

1. Javier vive en Valencia.
2. Samuel vive en Cartagena.
3. Juan Pablo vive en Lima.
4. Paco vive en Quito.
5. Selina vive en Bilbao.
6. Ariana vive en Málaga.
7. Patricio vive en Bogotá.
8. Manuel vive en Marbella.

3. Spot the intruders – Identify the words the speaker is NOT saying

Hola. Me llamo Jaime. Tengo **(~~un~~)** catorce años y vivo **(~~ya~~)** en La Habana, **(~~el~~)** la capital de Cuba. En mi familia **(~~somos~~)** hay cuatro personas: mis padres, **(~~mi hermana~~)**, mi hermano y yo. Mi hermano **(~~que~~)** se llama Benicio. Vivo en una **(~~la~~)** casa pequeña en el centro de La Habana. Mi casa es **(~~muy~~)** bonita.

4. Geographical mistakes: listen and correct

a. Me llamo Nina. Soy de Barcelona. Barcelona está en ~~Aragón~~
Cataluña.
b. Me llamo Pedro. Soy de Santiago. Santiago está en ~~Argentina~~
Chile.
c. Me llamo Consuelo. Soy de Madrid. Madrid está en ~~Cataluña~~
España.
d. Me llamo Juan. Soy de Quito. Quito está en ~~Perú~~
Ecuador.
e. Me llamo Jaime. Soy de La Habana. La Habana está en ~~España~~
Cuba.
f. Me llamo Ariana. Soy de Cartagena. Cartagena está en ~~Venezuela~~
Colombia.

5. Spelling challenge: which place names are being spelled out?

Fill in the grid

1	**CUBA**
2	**LIMA**
3	**QUITO**
4	**MADRID**
5	**MELILLA**
6	**ZARAGOZA**
7	**BARCELONA**

TRANSCRIPT: Speaker spells out each word letter by letter.

6. Faulty translation: spot the translation errors and correct them

My name is Maya. I am from **Spain**. I am twelve. I live in Catalunya, a region in the **north** of Spain.
I have **red** hair and **brown** eyes. My hair is long and **straight**.
I live with my mother, Eugenia and my two **sisters**, Silvia and Paola, in a small flat on the **outskirts** of Barcelona. My flat is in a **modern** building. It is **ugly**.
My father lives in a **big** house on the **coast**. His house is **pretty** and modern.

TRANSCRIPT:
Me llamo Maya. Soy de **España**. Tengo doce años. Vivo en Cataluña, una región del **norte** de España.
Tengo el pelo **pelirrojo** y los ojos **marrones**. Mi pelo es largo y **liso**.
Vivo con mi madre, Eugenia y mis dos **hermanas**, Silvia y Paola, en un pequeño apartamento en las **afueras** de Barcelona. Mi piso está en un edificio **moderno**. Es **feo**.
Mi padre vive en una casa **grande** en la **costa**. Su casa es **bonita** y moderna.

7. Spot the missing words and write them in

1.Vivo **en** Bogotá, la capital **de** Colombia. Bogotá es una ciudad **muy** hermosa. Vivo en un piso **pequeño** en un edificio moderno en el centro **de la** ciudad.

2. Vivo con mi familia en Málaga, una ciudad turística en el sur **de** España. Vivo en **una** casa moderna en las afueras de **la** ciudad.

3. Vivo en Quito, la capital de Ecuador. Vivo allí con mi familia y **mi** perro. Vivo en un piso grande **pero** feo en un edificio **antiguo**.

4. Vivo en Valencia, **en** España. Vivo en una casa **muy** grande y moderna en la costa.

8. Complete the grid in English, as shown in the example (names are spelled out for you)

	Name	Country	Type of accommodation	House/flat location	Two details about the house/flat
1	**Ana**	Spain	House	Town centre	Ugly + big
2	**Conchi**	Colombia	Flat	Coast	Small + ugly
3	**Juan**	Uruguay	Flat	Outskirts	Pretty + (very) small
4	**Pablo**	México	House	Town centre	Big + luxurious
5	**Maite**	Ecuador	House	Mountain	Spacious + modern
6	**Amparo**	Argentina	House	Coast	Pretty + big
7	**Guillermo**	Cuba	Flat	Town centre	Modern + small
8	**Alejandro**	Costa Rica	Flat	Oustkirts	Pretty + modern

TRANSCRIPT:
1. Hola, me llamo Ana (A N A). Soy de España y vivo en una casa en el centro de la ciudad. Es fea pero grande.
2. Hola, soy Conchi (C O N C H I). Vivo en Colombia en un piso en la costa. Mi piso es pequeño y feo.
3. Hola, soy Juan (J U A N). Soy de Uruguay y vivo en un piso en las afueras de la ciudad. Mi piso es bonito, pero muy pequeño.
4. Hola, soy Pablo (P A B L O). Soy de México. Vivo en una casa en el centro de la ciudad. Mi casa es grande y lujosa.
5. Hola, soy Maite (M A I T E). Soy de Ecuador y vivo en una casa en la montaña. Me gusta porque es espaciosa y moderna.
6. Hola, soy Amparo (A M P A R O) y vivo en Argentina. Vivo en una casa en la costa. Es grande y bonita.
7. Hola, soy Guillermo (G U I L L E R M O) y vivo en Cuba, en un piso en el centro de la ciudad. Mi piso es pequeño pero moderno.
8. Hola, soy Alejandro (A L E J A N D R O) y soy de Costa Rica. Vivo en un piso en las afueras de la ciudad. Mi piso es bonito y moderno.

9. Narrow listening - Gapped translation

My name is Julian. I am **17** years old and my birthday is on **30th** August. I **live** in Bilbao, in the Basque Country, in the **north** of Spain. I live in an **old** house on the **outskirts**. I have two **sisters**, Maite and Silvia. Maite is very **pretty** but a bit silly. Silvia is a bit **ugly** but very **intelligent** and funny. My friend Ruben **lives** in Barcelona but he is from Bilbao like **me**. He lives in a modern **building** in the **centre**. He has a big dog called **Rey**. He lives in a big and **beautiful** flat.

TRANSCRIPT: Me llamo Julián. Tengo **17** años y mi cumpleaños es el **30** de agosto. **Vivo** en Bilbao, en el País Vasco, en el **norte** de España. Vivo en una casa **vieja** en las **afueras**. Tengo dos **hermanas**, Maite y Silvia. Maite es muy **guapa** pero un poco tonta. Silvia es un poco **fea** pero muy **inteligente** y divertida. Mi amigo Rubén **vive** en Barcelona pero él es de Bilbao como **yo**. Vive en un **edificio** moderno en el **centro**. Tiene un perro grande que se llama **Rey**. Vive en un piso grande y **bonito**.

10. Listening slalom - Follow the speaker from top to bottom and number the boxes accordingly

1	2	3	4	5
I live in Argentina, (1)	I am from Bolivia and (2)	I am from Peru and (3)	I am from Spain and (4)	I am from Colombia and (5)
I live in Malaga. (4)	I live in Lima. (3)	I live near La Paz. (2)	I live in Bogota. (5)	**near Buenos Aires. (1)**
I am 12 and (2)	**I am 15 and (1)**	I am 14 and (4)	I am 16 and (3)	I am 13 and (5)
I live in a big house (4)	I live in a small house (2)	I live in a very small house (5)	**I live in a small flat (1)**	I live in a flat (3)
in a modern building. (1)	in an old building. (3)	in the city centre. (5)	near a lake. (2)	on the coast. (4)
I like my house (4)	**My flat is ugly (1)**	My house (2)	My flat is cosy (3)	My house is pretty (5)
and beautiful. (3)	and spacious. (5)	**but very big. (1)**	is modern. (2)	because it is big. (4)

TRANSCRIPT: (1) Vivo en Argentina, cerca de Buenos Aires. Tengo 15 años y vivo en un piso pequeño en un edificio moderno. Mi piso es feo pero es muy grande. **(2)** Soy de Bolivia y vivo cerca de La Paz. Tengo 12 años y vivo en una casa pequeña cerca de un lago. Mi casa es moderna. **(3)** Soy de Perú y vivo en Lima. Tengo 16 años y vivo en un piso en un edificio antiguo. Mi piso es acogedor y bonito. **(4)** Soy de España y vivo en Málaga. Tengo 14 años y vivo en una casa grande en la costa. Me gusta mi casa porque es grande. **(5)** Soy de Colombia y vivo en Bogotá. Tengo 13 años y vivo en una casa muy pequeña en el centro de la ciudad. Mi casa es bonita y espaciosa.

11. Narrow listening: fill in the grid as shown in the example (Mario)

	Name	Age	Birthday	Town	Accommodation	Location	Description
1	***Mario***	***14***	***20th May***	***Málaga***	***House***	***Coast***	***Big***
2	**Felipe**	15	1st Jan	Cádiz	Flat	City centre	Ugly
3	**Andrés**	12	5th Mar	Barcelona	Flat	Outskirts	Pretty
4	**Eugenio**	11	22nd Aug	Valladolid	House	Mountain	Spacious
5	**Melania**	18	18th Sept	Bilbao	House	City centre	Small
6	**Paola**	31	17th Jul	La Coruña	Flat	Ouskirts	Modern

TRANSCRIPT: (1) Hola, soy Mario y tengo 14 años. Mi cumpleaños es el 20 de mayo. Soy de Málaga y vivo en una casa grande en la costa. **(2)** Hola, soy Felipe y tengo 15 años. Mi cumpleaños es el uno de enero. Soy de Cádiz y vivo en un piso feo en el centro de la ciudad. **(3)** Hola, soy Andrés y tengo 12 años. Mi cumpleaños es el 5 de marzo. Soy de Barcelona y vivo en un piso bonito en las afueras. **(4)** Hola, soy Eugenio y tengo 11 años. Mi cumpleaños es el 22 de agosto. Soy de Valladolid y vivo en una casa espaciosa en la montaña. **(5)** Hola, soy Melania y tengo 18 años. Mi cumpleaños es el 18 de septiembre. Soy de Bilbao y vivo en una casa pequeña en el centro. **(6)** Hola, soy Paola y tengo 31 años. Mi cumpleaños es el 17 de julio. Soy de La Coruña y vivo en un piso moderno en las afueras.

DECODING SKILLS – PART 4

1. Listen to the two pairs and explain the difference in your own words

Students carry out the task, then discuss their answers with with one or more classmates first, then feedback to teacher in whole-class discussion.

2. Complete the words

a. Centro
b. Afueras
c. Argentina
d. Andalucía
e. Bogotá
f. Quito
g. Cataluña
h. Zaragoza
i. La Habana
j. Edificio

3. What are the cities' names? (Audio track spells names out one letter at a time)

1. Bilbao
2. Lima
3. Madrid
4. Barcelona
5. Zaragoza
6. Málaga
7. Cádiz
8. Valencia

4. Faulty echo

a. G pronounced as English J
b. Ñ pronounced as N
c. GUO pronounced as GO
d. CIO pronounced as SIO
e. CE pronounced as SE
f. H pronounced the English way
g. Argentina pronounced the English way
h. GE pronounced JEH

5. Spot the errors

a. "S" not "Z/TH"
b. stress is on GÚO
c. H not silent
d. "I" anglicised
e. "**Ce**ntro" pronounced "CHE"
f. Zeds pronounced the English way
g. GE as JEH
h. "Mode**rno**" anglicised

6. Track the sound – Listen and write down how many times you hear the sounds 'jota', 'ñ' and 'th' (as in think) in each of the descriptions below

	jota /X/	ñ /NY/	th /θ/
1	2	2	3
2	3	1	2
3	2	1	2

1. Me llamo Juan Miguel. Tengo doce años, y el pelo castaño, largo y rizado y los ojos azules.

2. Mi madre se llama Julia y mi padre se llama Javier. Mi madre tiene el pelo castaño, muy largo y ondulado, y los ojos marrones. Tengo un pez dorado muy perezoso.

3. Mi padre tiene los ojos verdes. Tengo un hermano que se llama Iñaki. Tiene el pelo rubio, corto y rizado, y los ojos azules.

UNIT 5 – TALKING ABOUT MY FAMILY (AGE & RELATIONSHIPS)

1. Fill in the blanks

a. En mi **familia** hay **cinco** personas.
b. Mi abuelo tiene **setenta** años.
c. En **mi** familia **hay** seis **personas**.
d. Mi **padre** se llama **Pablo**.
e. Me **llevo** bien con **mi** hermano **mayor**.
f. Me **llevo mal** con mi **madre**.
g. Me llevo **muy** bien **con** mi **padre**.

2. Break the flow

a. Hay cuatro personas en mi familia.

b. Me llevo bien con mis padres.

c. Mi abuelo tiene ochenta años.

d. Mi tío tiene cuarenta años.

e. Mi hermano mayor se llama Juan.

f. En mi familia hay cinco personas.

g. Mi padre tiene cuarenta y dos años.

3. Multiple choice quiz: select the correct age

		a	b	c
1	**Jaime**	40	**50**	60
2	**Silvia**	90	80	**70**
3	**Juan**	30	40	**60**
4	**Pedro**	60	70	**100**
5	**Marina**	**36**	46	56
6	**Consuelo**	65	**85**	95
7	**Enrique**	33	63	**73**
8	**Pablo**	**71**	21	41
9	**Manuela**	57	67	**47**

TRANSCRIPT:
1. Me llamo **Jaime** y tengo cincuenta años.
2. Me llamo **Silvia** y tengo setenta años.
3. Me llamo **Juan** y tengo sesenta años.
4. Me llamo **Pedro** y tengo cien años.
5. Me llamo **Marina** y tengo treinta y seis años.
6. Me llamo **Consuelo** y tengo ochenta y cinco años.
7. Me llamo **Enrique** y tengo setenta y tres años.
8. Me llamo **Pablo** y tengo setenta y un años.
9. Me llamo **Manuela** y tengo cuarenta y siete años.

4. Spot the intruders - Identify the word(s) in each sentence the speaker is NOT saying

a. En mi familia hay cinco ~~**mil**~~ personas.

b. Mi tío Pedro tiene cuarenta ~~**y un**~~ años.

c. Me llevo ~~**muy**~~ bien con mis padres.

d. Mi primo Ian tiene ~~**como**~~ cincuenta años.

e. Mis abuelos ~~**maternos**~~ tienen ochenta años.

f. ~~**Yo**~~ me llevo fatal con mi primo José.

5. Listen, spot and correct the errors

a. Mi **abuela** tiene ochenta y dos años.

b. Hay **cuatro** personas en mi familia.

c. En mi familia hay cinco personas: mi madre, mi padre y mis **dos** hermanos.

d. ¿Cuántos años tiene tu hermana **mayor**?

e. Mi tío tiene **sesenta** años.

f. Me llevo **mal** con mis padres, especialmente con mi madre.

g. En mi familia hay **cinco** personas.

6. Complete the words then write the number it refers to.

a. (Example) **OCH**enta y siete (87)

b. Nov**ENTA** y cinco (95)

c. Veinti**DÓS** (22)

d. **CUA**renta y tres (43)

e. **CI**en (100)

f. No**VENTA** y ocho (98)

g. Cin**CUENTA** y nueve (59)

h. Se**TENTA** y cuatro (74)

7. Faulty translation: spot the translation errors and correct them

ANSWERS:

a. My name is Juan Francisco. I am **15** years old.
b. I have blond and **short** hair.
c. I have **blue** eyes.
d. In my family there are **5** people: my father, my mother, my **sister**, my brother and I.
e. My father is **45**, my mother is **43**, my sister is **19** and my brother is **17**.
f. My uncle and aunt are called Roberta and Rafa. My aunt is **52** years old and my uncle is **60**.
g. My maternal grandparents are **90** years old.
h. My paternal grandfather is **66**.

TRANSCRIPT:

a. Me llamo Juan Francisco. Tengo **15** años.
b. Tengo el pelo rubio y **corto**.
c. Tengo los ojos **azules**.
d. En mi familia hay **5** personas: mi padre, mi madre, mi **hermana**, mi hermano y yo.
e. Mi padre tiene **45** años, mi madre tiene **43**, mi hermana tiene **19** años y mi hermano tiene **17** años.
f. Mis tíos se llaman Roberta y Rafa. Mi tía tiene **52** años y mi tío tiene **60** años.
g. Mis abuelos maternos tienen **90** años.
h. Mi abuelo paterno tiene **66** años.

8. Spot and write in the missing words

a. **Me** llamo Dylan.
b. Soy **de** España.
c. Tengo **un** hermano.
d. Mi cumpleaños **es** el veinte de marzo.
e. En mi familia **somos** cinco personas.
f. Hay mi padre, mi madre, mis **dos** hermanos y yo.
g. Yo tengo treinta **y** siete años. Mi madre tiene sesenta y dos años y mi padre sesenta **y** un años.
h. Mi hermano **mayor** tiene cuarenta años y mi hermano **menor** tiene treinta y cinco años.
i. Me llevo **muy** bien **con** mis padres.

9. Listen, spot and correct the errors

a. Me **llamo** Rafa.
b. **Tengo** quince años.
c. Mi cumpleaños **es** el trece de mayo.
d. En mi familia **hay** cuatro personas: mis padres, mi hermano mayor y **yo**.
e. Mi padre **tiene** cuarenta años.
f. Mi madre tiene cuarenta **y** dos años.
g. Mi hermano mayor tiene **veintiún** años.
h. **Me** llevo bien con mis padres.
i. Me llevo mal **con** mi hermano.

10. Fill in the table

	Father's age	**Mother's age**	**Sibling's age**
1. Alex	**56**	48	**18**
2. Paco	43	**44**	15
3. Nina	**48**	51	**22**
4. Dylan	55	**53**	**17**
5. Miguel	**72**	68	**39**
6. Marta	**40**	**47**	10

TRANSCRIPT

1. Me llamo **Alex**. Mi padre tiene 56 años y mi madre tiene 48. Mi hermano tiene 18 años.
2. Me llamo **Paco**. Mi padre tiene 43 años y mi madre tiene 44. Mi hermana tiene 15 años.
3. Me llamo **Nina**. Mi padre tiene 48 años y mi madre tiene 51. Mi hermano tiene 22 años.
4. Me llamo **Dylan**. Mi padre tiene 55 años y mi madre tiene 53. Mi hermana tiene 17 años.
5. Me llamo **Miguel**. Mi padre tiene 72 años y mi madre tiene 68. Mi hermano tiene 39 años.
6. Me llamo **Marta**. Mi padre tiene 40 años y mi madre tiene 47. Mi hermana tiene 10 años.

11. Translate the ten sentences you hear into English

1. **Me llamo Silvia** = My name is Silvia.
2. **Tengo quince años** = I am 15.
3. **En mi familia hay cinco personas** = There are 5 people in my family.
4. **Mi padre, mi madre y dos hermanos** = My father, my mother and two siblings.
5. **Mi padre tiene 46 años** = My dad is 46.
6. **Mi madre tiene 39 años** = My mother is 39 years old.
7. **Mis hermanos tienen 17 y 21 años** = My siblings are 17 and 21.
8. **Mi abuelo tiene 76 años** = My grandad is 76.
9. **Mi abuela tiene 69 años =** My grannie is 69.
10. **Tengo una tortuga que tiene tres años =** I have a 3 year old turtle.

12. Narrow listening: gapped translation

My name is Paco. I am from **Bilbao**. I am **13** years old. My birthday is on **30th January**. I have **blond**, long and **straight** hair. I have **blue** eyes. In my family there are **5** people: my stepfather, my **mother** and my two sisters. My older sister is **16** years old. My younger sister is **11** years old. I **get along** with my parents. My **maternal** grandfather lives with us. He is **85** years old. I get along with him.

TRANSCRIPT: Me llamo Paco. Soy de **Bilbao** Tengo **13** años. Mi cumpleaños es el **30 de enero**. Tengo el pelo **rubio**, largo y **liso**. Tengo los ojos **azules**. En mi familia hay **5** personas: mi padrastro, mi **madre** y mis dos hermanas. Mi hermana mayor tiene **16** años. Mi hermana menor tiene **11** años. Me **llevo bien** con mis padres. Mi abuelo **materno** vive con nosotros. Tiene **85** años. Me llevo bien con él.

13. Listening slalom: follow the speaker from top to bottom and number the boxes accordingly

1 - Elena	2 - Felipe	3 - Maite	4 - Javier	5 - Juan
Name: Elena (1)	Name: Felipe (2)	Name: Maite (3)	Name: Javier (4)	Name: Juan (5)
I am 17 (4)	**I am 16 (1)**	I am 20 (5)	I am 11 (2)	I am 30 (3)
Birthday: 25th Oct (2)	Birthday: 20th June (3)	**Birthday: 31st Dec (1)**	Birthday: 15th Mar (4)	Birthday: 7th Jan (5)
My mother is 50 (5)	**My mother is 48 (1)**	My mother is 44 (4)	My mother is 39 (2)	My mother is 62 (3)
My father is 49 (4)	My father is 43 (2)	My father is 53 (5)	My father is 64 (3)	**My father is 52 (1)**
My grandad is 81 (5)	My grandad is 75 (3)	**My grandad is 76 (1)**	My grandad is 73 (2)	My grandad is 90 (4)
My grandma is 68 (1)	My grandma is 80 (4)	My grandma is 81 (2)	My grandma is 72 (3)	My grandma is 79 (5)

TRANSCRIPT: (1) Hola, me llamo **Elena** y tengo 16 años. Mi cumpleaños es el 31 de diciembre. Mi madre tiene 48 años y mi padre tiene 52. Mi abuelo tiene 76 años y mi abuela tiene 68. **(2)** Hola, me llamo **Felipe** y tengo 11 años. Mi cumpleaños es el 25 de octubre. Mi madre tiene 39 años y mi padre tiene 43. Mi abuelo tiene 73 años y mi abuela tiene 81. **(3)** Hola, me llamo **Maite** y tengo 30 años. Mi cumpleaños es el 20 de junio. Mi madre tiene 62 años y mi padre tiene 64. Mi abuelo tiene 75 años y mi abuela tiene 72. **(4)** Hola, me llamo **Javier** y tengo 17 años. Mi cumpleaños es el 15 de marzo. Mi madre tiene 44 años y mi padre tiene 49. Mi abuelo tiene 90 años y mi abuela tiene 80. **(5)** Hola, me llamo **Juan** y tengo 20 años. Mi cumpleaños es el 7 de enero. Mi madre tiene 50 años y mi padre tiene 53. Mi abuelo tiene 81 años y mi abuela tiene 79.

14. Narrow listening: listen and fill in the missing details on the grid

Name	Age	Birthday	Family size	Older sibling's age	Mother's age	Father's age
Andrea	**12**	20 June	**5**	16	**39**	41
Felipe	14	**14 Dec**	4	**18**	**42**	44
Sofía	**11**	15 Sep	**6**	**21**	43	**46**
Eugenio	13	**9 Aug**	5	**15**	39	**40**
Myriam	28	**31 Jul**	**6**	31	**56**	55

TRANSCRIPT: (1) Me llamo **Andrea** y tengo 12 años. Mi cumpleaños es el 20 de junio. Hay 5 personas en mi familia. Mi hermano menor tiene 5 años y mi hermana mayor tiene 16 años. Mi madre tiene 39 años y mi padre tiene 41. **(2)** Me llamo **Felipe** y tengo 14 años. Mi cumpleaños es el 14 de diciembre. Hay 4 personas en mi familia. Mi hermana menor tiene 8 años y mi hermano mayor tiene 18 años. Mi madre tiene 42 años y mi padre tiene 44. **(3)** Me llamo **Sofía** y tengo 11 años. Mi cumpleaños es el 15 de septiembre. Hay 6 personas en mi familia. Mi hermano mayor tiene 21 años y mi hermana menor tiene 9 años. Mi madre tiene 43 años y mi padre tiene 46. **(4)** Me llamo **Eugenio** y tengo 13 años. Mi cumpleaños es el 9 de agosto. Hay 5 personas en mi familia. Mi hermano menor tiene 9 años y mi hermano mayor tiene 15 años. Mi madre tiene 39 años y mi padre tiene 40. **(5)** Me llamo **Myriam** y tengo 28 años. Mi cumpleaños es el 31 de julio. Hay 6 personas en mi familia. Mis dos hermanos menores tienen 10 y 11 años y mi hermana mayor tiene 31 años. Mi madre tiene 56 años y mi padre tiene 55.

DECODING SKILLS UNIT 5

1. Complete with the missing letters

a. En **mi** familia **ha**y cuatro persona**s**.

b. **Me** llevo bien co**n** mi **h**ermano.

c. Mi **h**ermana ma**y**or se llama Eu**g**enia.

d. Mi tía Re**g**ina es muy **g**enerosa.

e. Mi tío **J**uan es muy inteli**g**ente.

f. Mi **h**ermana men**o**r es divertida.

g. Mi amiga An**g**ela es muy **h**abladora.

h. Mi me**j**or ami**g**o se llama **J**or**g**e.

i. **Me** llevo mu**y** bien con m**i** padre.

2. Listen to the lists below. What differences do you notice between the way 'G' is pronounced in the words in column A and B

Students carry out the task, then discuss their answers with one or more classmates first, then feedback to teacher in whole-class discussion.

3. Write out each word below exactly as you as you hear it

Students carry out the task, then discuss their answers with one or more classmates first, then feedback to teacher in whole-class discussion.

4. Faulty echo

a. **Mayor** as English **mayor**

b. **Menor** as English **minor**

c. **Me** as English **me** and **llevo** as **levo**

d. **J** pronounced as English **J**

e. **GE** pronounced as English **JEH**

f. **H** in hay pronounced the English way

g. **GE** in inteligente pronounced as English **JEH**

h. **J** in mejor pronounced the English way

5. Listen and rewrite the phrases below correctly based on what you hear

a. Soy baio = Soy bajo

b. Mi hermano minor = Mi hermano menor

c. Me padre = Mi padre

d. Soy inteligent = Soy inteligente

e. Me levo bien = Me llevo bien

f. En mi familia hey = En mi familia hay

g. Mi hermano mejor = Mi hermano mayor

6. Dictation – write out the sentences

a. Mi madre es inteligente y trabajadora.

b. Mi padre es muy generoso.

c. Mi hermano menor es muy guay.

d. Me llevo muy bien con mi hermano mayor.

e. Mi mejor amigo se llama Gabriel.

f. Mi novia es muy divertida.

g. Hay cuatro personas en mi familia.

UNIT 6 – DESCRIBING MYSELF AND ANOTHER FAMILY MEMBER

1. Multiple choice quiz: select which adjective you hear

		a	b	c
1	**My father is…**	**generous**	fun	muscular
2	**My mother is…**	fat	**intelligent**	thin
3	**My older sister is…**	stupid	**fat**	muscular
4	**My younger sister is…**	tall	short	**pretty**
5	**My brother is…**	**ugly**	unfriendly	friendly
6	**My cousin Pablo is…**	big	**strong**	small
7	**My cousin Marta is…**	lazy	bad	**boring**
8	**My grandad is…**	**mean**	stubborn	annoying
9	**My grandma is…**	generous	good	**fun**
10	**My boyfriend is…**	patient	fat	**muscular**

TRANSCRIPT: (1) Mi padre es generoso. **(2)** Mi madre es inteligente. **(3)** Mi hermana mayor es gorda. **(4)** Mi hermana menor es guapa. **(5)** Mi hermano es feo. **(6)** Mi primo Pablo es fuerte. **(7)** Mi prima Marta es aburrida. **(8)** Mi abuelo es antipático. **(9)** Mi abuela es divertida. **(10)** Mi novio es musculoso.

2. Split sentences: listen and match

1. Jaime		a. Fun
2. Silvia		b. Boring
3. Juan		c. Short
4. Pedro		d. Tall
5. Marina		e. Good-looking
6. Consuelo		**f. Bad**
7. Enrique		g. Muscular
8. Pablo		h. Ugly
9. Paola		i. Stubborn
10. Manolo		j. Strong

TRANSCRIPT: (1) Mi amigo Jaime es muy malo. **(2)** Mi amiga Silvia es alta. **(3)** Juan es divertido. **(4)** Mi hermano Pedro es bajo. **(5)** Mi amiga Marina es musculosa. **(6)** Mi prima Consuelo es fea. **(7)** Mi amigo Enrique es fuerte. **(8)** Mi amigo Pablo es terco. **(9)** Mi hermana Paola es aburrida. **(10)** Mi amigo Manolo es guapo.

ANSWERS: 1f 2d 3a 4c 5g 6h 7j 8i 9b 10e

3. Spot the intruders: identify the word in each sentence the speaker is NOT saying

a. Mi hermano es **~~muy~~** guapo.

b. Mi tío **~~Pedro~~** tiene cuarenta y un años. Es bastante divertido.

c. Me llevo muy bien con mi padre porque es **~~paciente y~~** generoso.

d. Mi primo Ian no es **~~muy~~** alto.

e. Mi padre es de **~~la~~** estatura media.

f. Mi novia es **~~demasiado~~** habladora.

g. Yo soy **~~alto~~**, musculoso y fuerte.

4. Spot the differences and correct your text

a. Mi **madre** es muy paciente.
b. Mi madre es muy **trabajadora**.
c. En mi familia hay cinco personas: mi madre, mi **padrastro**, mis dos hermanos y yo.
d. ¿Cómo **eres**?
e. Mi tío tiene **setenta** años pero es muy **fuerte**.
f. Me llevo mal con mis padres, especialmente con mi madre porque es muy **estricta**.
g. En mi familia somos todos **altos**.

5. Categories: listen to the words below and classify them in positive and negative

ADJETIVOS POSITIVOS	ADJETIVOS NEGATIVOS
Inteligente	**Estúpido**
Guapo	**Feo**
Simpático	**Antipático**
Bueno	**Malo**
Divertido	**Aburrido**
Paciente	**Impaciente**
Generoso	**Egoísta**
Trabajador	**Perezoso**

TRANSCRIPT:

(1) Inteligente **(2)** Guapo
(3) Estúpido **(4)** Simpático
(5) Feo **(6)** Antipático
(7) Bueno **(8)** Malo
(9) Aburrido **(10)** Divertido
(11) Paciente **(12)** Generoso
(13) Impaciente
(14) Egoísta **(15)** Perezoso
(16) Trabajador

6. Faulty translation: spot and correct the translation errors

a. My name is Juan Pablo. I am **14** years old. I have **blond** hair and green eyes. I am **short**, muscular and **very** handsome. I am friendly, talkative and quite **funny**.
b. My mother is called Paola. She is **40** years old. She is **tall**, slim and very **pretty**. She is generous but a bit **strict**.
c. My father is called Roberto. He is **63** years old. He is neither tall nor short. He is quite **ugly**. He is very generous, **friendly** and patient.
d. My sister is called Carmen. She is **16**. She is quite tall and **fat**. She is unfriendly and **stubborn**. She is also quite **impatient** and lazy.

TRANSCRIPT: (a) Me llamo Juan Pablo. Tengo 14 años. Tengo el pelo rubio y los ojos verdes. Soy bajo, musculoso y muy guapo. Soy simpático, hablador y bastante gracioso. **(b)** Mi madre se llama Paola. Tiene 40 años. Es alta, delgada y muy guapa. Es generosa pero un poco estricta. **(c)** Mi padre se llama Roberto. Tiene 63 años. No es ni alto ni bajo. Es bastante feo. Es muy generoso, simpático y paciente. **(d)** Mi hermana se llama Carmen. Tiene 16 años. Es bastante alta y gorda. Es antipática y terca. También es bastante impaciente y perezosa.

7. Spot the missing words and write them in

a. Me llamo Dylan y **(soy)** muy trabajador.

b. Mi hermano es **(demasiado)** perezoso.

c. Mi madre es terca **(y)** antipática.

d. Mi hermano es de **(estatura)** media.

e. Mis padres **(son)** muy buenos.

f. Mi hermana **(mayor)** es muy generosa.

g. Detesto **(a)** mi primo porque es **(muy)** terco.

8. Listen and complete with the correct masculine or feminine ending

a. Es muy **simpáticA**.
b. Son muy **tercOS**.
c. Mi madre y mi padre son muy **altOS**.
d. Soy **bajA** y **pacientE**.
e. ¡Qué **graciosA** eres!
f. ¡Qué **malOS** son!
g. Sus **hijOS** son muy **gordOS**.
h. Mis **hermanAS** son muy **trabajadorAS**.
i. ¡Qué **divertidA** eres!

9. Listen and fill in the grid

Person	Description
1. My father is	tall and friendly
2. My mother is	short and talkative
3. My sister is	blond and stubborn
4. My brother is	short and lazy
5. My cousin Pablo is	tall and slim
6. My cousin Marta is	neither tall nor short + funny
7. My grandfather is	generous and nice/lovely
8. My grandmother is	strict and annoying
9. My best friend is	friendly and funny

TRANSCRIPT:
1. Mi padre es alto y simpático.
2. Mi madre es baja y habladora.
3. Mi hermana es rubia y terca.
4. Mi hermano es bajo y perezoso.
5. Mi primo Pablo es alto y delgado.
6. Mi prima Marta no es ni alta ni baja. Es graciosa.
7. Mi abuelo es generoso y amable.
8. Mi abuela es estricta y molesta.
9. Mi mejor amiga es simpática y graciosa.

10. Translate the ten sentences you hear into English

1. My name is Rocco.
Me llamo Rocco.
2. I am 14.
Tengo catorce años.
3. I am a redhead and have green eyes.
Tengo el pelo pelirrojo y los ojos verdes.
4. There are 3 of us in my family.
En mi familia somos tres personas.
5. My father is 46 years old.
Mi padre tiene 46 años.
6. My mother is 39 years old.
Mi madre tiene 39 años.
7. My brother is 16 years old.
Mi hermano tiene dieciséis años.
8. My father is tall, strong and fun.
Mi padre es alto, fuerte y divertido.
9. My mother is short, slim and very strict.
Mi madre es baja, delgada y muy estricta.
10. My brother and I are very tall, fat and talkative.
Mi hermano y yo somos muy altos, gordos y habladores.

11. Narrow listening: gapped translation

My name is Pablo. I love my parents. They are a bit **strict**, but very generous, **kind** and hard-working. I have **two** brothers and one sister. My older brother is very annoying: he is **noisy**, lazy, **mean**, and very talkative. My younger brother is lovely: he is nice, **generous**, patient, **helpful** and hard-working. My sister is pretty and very **intelligent**, but very boring. I also have a **girlfriend**. Her name is Pilar. She is tall, **interesting,** pretty and is very **funny**.

TRANSCRIPT: Me llamo Pablo. Me encantan mis padres. Son un poco **estrictos**, pero muy generosos, **amables** y trabajadores. Tengo **dos** hermanos y una hermana. Mi hermano mayor es muy molesto: es **ruidoso**, perezoso, **antipático,** y muy hablador. Mi hermano menor es un encanto: es simpático, **generoso,** paciente, **servicial** y trabajador. Mi hermana es guapa y muy **inteligente,** pero muy aburrida. También tengo una **novia**. Se llama Pilar. Es alta, **interesante,** guapa y es muy **graciosa.**

12. Listening slalom: follow the speaker from top to bottom and number the boxes accordingly

1 - Nina	2 - Kevin	3 - Manuela	4 - Juan Carlos	5 - Ana
My name is Nina (1)	My name is Kevin (2)	My name is Manuela (3)	My name is Juan Carlos (4)	My name is Ana (5)
I am 15 years old (3)	**I am 17 years old (1)**	I am 18 years old (2)	I am 13 years old (4)	I am 12 years old (5)
I am tall and fat (2)	I am neither tall nor short (3)	**I am tall and slim (1)**	I am not very tall (5)	I am short and slim (4)
My older brother is short and slim (2)	My older sister is short and slim (5)	My younger brother is short and slim (3)	My older sister is short and very pretty (4)	**My younger brother is tall and strong (1)**
I love her (4)	I get along very well with him (3)	I like her a lot (5)	**I get along with him (1)**	I don't get along with him (2)
because he is nice and positive (3)	because she is generous (4)	because he is mean (2)	because she is fun (5)	**because he is patient and helpful. (1)**
and kind. (5)	Also, he is very funny. (3)	**Also, he is very generous and kind. (1)**	and funny (4)	and stubborn. (2)

TRANSCRIPT: (1) Me llamo Nina. Tengo 17 años y soy alta y delgada. Mi hermano pequeño es alto y fuerte. Me llevo bien con él porque es paciente y servicial. Además, es generoso y simpático. **(2)** Me llamo Kevin y tengo 18 años. Soy alto y gordo. Mi hermano mayor es bajo y delgado. No me llevo bien con él porque es antipático y terco. **(3)** Me llamo Manuela y tengo 15 años. No soy ni alta ni baja. Mi hermano menor es bajo y delgado. Me llevo muy bien con él porque es amable y positivo. Además, es muy gracioso. **(4)** Me llamo Juan Carlos y tengo 13 años. Soy bajo y delgado. Mi hermana mayor es baja y muy guapa. Me encanta porque es generosa y graciosa. **(5)** Me llamo Ana y tengo 12 años. No soy muy alta. Mi hermana mayor es baja y delgada. Me gusta mucho porque es divertida y amable.

13. Narrow listening: fill in the grid

Name	Name of older sibling	Age of older sibling	Birthday of older sibling	Character of older sibling	Appearance of older sibling
1. Felipe	Jaime	18	20th June	Lazy	Ugly
2. Andrea	Lucía	17	30th Dec	Boring	Pretty
3. Eugenio	Marta	19	22nd April	Annoying	Fat
4. Melania	Conchi	21	1st Jan	Funny	Tall

TRANSCRIPT: (1) Me llamo Felipe. Mi hermano mayor se llama Jaime y tiene 18 años. Su cumpleaños es el 20 de junio. ¡Es perezoso y feo! **(2)** Me llamo Andrea. Mi hermana mayor se llama Lucía y tiene 17 años. Su cumpleaños es el 30 de diciembre. Es aburrida pero guapa. **(3)** Me llamo Eugenio. Mi hermana mayor se llama Marta y tiene 19 años. Su cumpleaños es el 22 de abril. Es molesta y gorda. **(4)** Me llamo Melania. Mi hermana mayor se llama Conchi y tiene 21 años. Su cumpleaños es el uno de enero. Es graciosa y alta.

UNIT 7 – TALKING ABOUT PETS

1. Multiple choice quiz

		a	b	c
1	At home we have...	**4 pets**	2 pets	5 pets
2	I have a...	turtle	**dog**	cat
3	My brother has a...	turtle	**fish**	parrot
4	My older sister has a...	lizard	**rabbit**	duck
5	My younger sister has a...	**mouse**	fish	horse
6	My mother has a...	**cat**	dog	parrot
7	My father has a...	bird	**horse**	dog
8	My grandparents have two...	**dogs**	horses	rabbits
9	My best friend has a...	lizard	dog	**snake**
10	My girlfriend has a...	fish	cat	**dog**

TRANSCRIPT:

1. En casa tenemos 4 mascotas.
2. Tengo un perro.
3. Mi hermano tiene un pez.
4. Mi hermana mayor tiene un conejo.
5. Mi hermana menor tiene un ratón.
6. Mi madre tiene un gato.
7. Mi padre tiene un caballo.
8. Mis abuelos tienen dos perros.
9. Mi mejor amiga tiene una serpiente.
10. Mi novia tiene un perro.

2. Split sentences: listen and match

1. Arantxa		a. A dog
2. Silvia		b. A rabbit
3. Consuelo		c. A parrot
4. Juan		**d. A fish**
5. Felipe		e. A cat
6. Paco		f. A horse
7. Julio		g. Two dogs
8. Verónica		h. Two turtles
9. Roberto		i. Two mice
10. Simona		j. A mouse

ANSWERS: 1d 2a 3b 4c 5g 6e 7i 8f 9j 10h

TRANSCRIPT: **(1)** Me llamo Arantxa y tengo un pez. **(2)** Me llamo Silvia y tengo un perro. **(3)** Me llamo Consuelo y tengo un conejo. **(4)** Me llamo Juan y tengo un loro. **(5)** Me llamo Felipe y tengo dos perros. **(6)** Me llamo Paco y tengo un gato. **(7)** Me llamo Julio y tengo dos ratones. **(8)** Me llamo Verónica y tengo un caballo. **(9)** Me llamo Roberto y tengo un ratón. **(10)** Me llamo Simona y tengo dos tortugas.

3. Spot the intruders: identify the word in each sentence the speaker is NOT saying

a. Mi hermano tiene un ~~**gran**~~ perro.
b. Mi mejor amiga ~~**no**~~ tiene dos mascotas.
c. Mis abuelos tienen ~~**dos**~~ caballos.
d. La tortuga ~~**verde**~~ de mi hermano se llama Peggy.
e. Mi novia tiene un perro ~~**blanco**~~.
f. Mi perro ~~**marrón**~~ es mono pero un poco feo.
g. Tengo dos peces ~~**naranjas.**~~

4. Spot the differences and correct your text

a. Mi perro es muy **hermoso.**

b. Mi gato es muy **aburrido.**

c. Tenemos cuatro mascotas: un perro, un **pájaro,** un loro y una **cobaya.**

d. ¿Tienes **una mascota**?

e. Mi tío tiene un **perro y** una **araña** en casa.

f. Mi hermana tiene una **rata** muy **graciosa.**

g. Tenemos dos **conejos** y un **pato** en casa.

h. ¡Paco tiene una **serpiente** negra muy grande en casa!

5. Categories: listen to the sentences and write in any adjectives or nouns you hear into the table

NOMBRES (nouns)	**ADJETIVOS (adjectives)**
gato	pequeño
perro	grande
tortuga	verde
pez	aburrido
pato	ruidoso
conejo	feo
araña	divertida
caballo	blanco

TRANSCRIPT:

1. Tengo un gato pequeño.
2. Tengo un perro grande.
3. Tenemos una tortuga verde.
4. Tengo un pez aburrido.
5. Tengo un pato ruidoso.
6. Tengo un conejo feo.
7. Tengo una araña divertida.
8. Tengo un caballo blanco.

6. Spot the missing words and write them in

Me llamo Juan. Tengo **(tres)** mascotas: un perro **(que)** se llama Rufus, una gata que **(se)** llama Nairobi y **(una)** serpiente que se llama María. Rufus **(tiene)** tres años. Es negro y blanco. Es **(muy)** gordo y tranquilo. Nairobi es atigrada y **(un poco)** traviesa. Tiene los ojos verdes **(un poco)** grandes. Es inteligente pero **(muy)** aburrida. Tiene cuatro años. María es una serpiente muy grande **(y negra)**. Tiene un año.

7. Fill in the blanks

En casa tenemos tres **mascotas**: un perro, un **gato** y una **rata**. Mi perro se **llama** Eduardo. Es **negro**. Me encanta porque es muy **mono** y **divertido**. Mi conejo se llama Zanahoria. Es **blanco** y **marrón**. Es muy **gordo** y **gracioso**. Mi rata se llama Ramona. Es **pequeña** y blanca. Es muy inteligente y **rápida**. Me **encanta.**

8. Faulty translation: correct the translation errors

My name is Roberto. I am **sixteen** years old and live in Malaga. In my family there are **four** people: my parents, my **younger** brother, Juan and myself. Juan is **ten** years old and is very **fun**. We have three pets: a parrot who is called Leo, a **dog** who is called Tito and a **guinea pig** who is called Ágata. Leo is very talkative. Tito is **big** and Ágata is **funny**, just like my brother.

TRANSCRIPT: Me llamo Roberto. Tengo **16** años y vivo en Málaga. En mi familia hay **4** personas: mis padres, mi hermano **menor**, Juan, y yo. Juan tiene **10** años y es muy **divertido**. Tenemos tres mascotas: un loro que se llama Leo, un **perro** que se llama Tito y una **cobaya** que se llama Ágata. Leo es muy hablador. Tito es **grande** y Ágata es **graciosa**, igual que mi hermano.

9. Listen and fill in the grid

Person	Description
My father is	funny
My mother is	hard-working
My sister is	intelligent
My brother is	talkative
My cousin Pablo is	helpful
My cousin Marta is	boring
My grandfather is	generous
My grandmother is	nice/friendly

TRANSCRIPT:
1. Mi padre es gracioso.
2. Mi madre es trabajadora.
3. Mi hermana es inteligente.
4. Mi hermano es hablador.
5. Mi primo Pablo es servicial.
6. Mi prima Marta es aburrida.
7. Mi abuelo es generoso.
8. Mi abuela es simpática.

10. Translate the sentences into English
1. In my family there are four people.
2. My two younger sisters are called Pilar and Luisa.
3. My parents are very kind and nice.
4. Pilar is very generous and helpful.
5. Luisa is very lazy and boring.
6. We have six pets.
7. We have two dogs, Rey and Regina. They are very pretty.
8. I have a cat, Paddington. He is very fat and lazy.
9. I have a rat, Speedy. She is funny and quick.

TRANSCRIPT:
1. En mi familia hay cuatro personas.
2. Mis dos hermanas menores se llaman Pilar y Luisa.
3. Mis padres son muy amables y simpáticos.
4. Pilar es muy generosa y servicial.
5. Luisa es muy perezosa y aburrida.
6. Tenemos seis mascotas.
7. Tenemos dos perros, Rey y Regina. Son muy hermosos.
8. Tengo un gato, Juanito. Es muy gordo y perezoso.
9. Tengo una rata, Speedy. Es muy graciosa y rápida.

11. Sentence puzzle - rewrite correctly

a. Tengo una rata gris, un conejo muy blanco y un gato marrón.

b. Mi gato se llama Gordo porque come muchísimo.

c. Mi amigo Pablo tiene una serpiente muy grande, negra y verde que se llama Veneno.

d. Tenemos una tortuga verde que se llama Pilar y un ratón marrón que se llama Pedro.

12. Narrow listening - Gapped translation

My name is **Paola**. I am **thirteen** years old and **live** in **London**. In my family there are **five** people: my **stepfather**, my mother, my **older** brother, my **stepsister** and I. We have a few **pets**. First, we have a **huge** dog called Maximus. He is **black** and beautiful. He is very **strong** and eats **a lot**. We also have a **turtle** called Leonardo. My turtle is small, green and **funny**. She is very quiet and fun. Finally, we have a **parrot** called Charlie. He is very **talkative** and funny. He is red, **blue** and **yellow**. I love my **pets**.

TRANSCRIPT:

Me llamo **Paola.** Tengo **trece** años y **vivo** en **Londres**. En mi familia hay **cinco** personas: mi **padrastro**, mi madre, mi hermano **mayor**, mi **hermanastra** y yo. Tenemos algunas **mascotas**. Primero, tenemos un perro **enorme** que se llama Maximus. Es **negro** y hermoso. Es muy **fuerte** y come **mucho**. También tenemos una **tortuga** que se llama Leonardo. Mi tortuga es pequeña, verde y **graciosa**. Es muy tranquila y divertida. Finalmente, tenemos un **loro** que se llama Charlie. Él es muy **hablador** y gracioso. Es rojo, **azul** y **amarillo**. Me encantan mis **mascotas**.

13. Listening slalom - Follow the speaker from top to bottom and number the boxes accordingly

1	2	3	4	5
We have 3 (1)	I have (2)	My friend has (3)	My grandparents have (4)	My friend has (5)
four pets at home. (2)	**pets at home. (1)**	five pets at home. (3)	six pets at home. (4)	one pet at home. (5)
A blue fish, (2)	Two big black dogs (3)	**A green turtle (1)**	A big fat cat (5)	Three fat, white guinea pigs (4)
He is black and white (5)	a big brown dog (4)	a beautiful yellow bird, (2)	**very slow and funny, (1)**	a yellow parrot (3)
which is talkative and funny (3)	**a cute and fat dog (1)**	a very fat duck (4)	a cute guinea pig and (2)	He is very lazy (5)
and boring. (5)	and a very cute black rabbit. (4)	**and a gold fish (1)**	a fun white mouse. (2)	and two pretty Siamese cats(3)

TRANSCRIPT:

1. Tenemos tres mascotas en casa. Una tortuga verde, muy lenta y graciosa, un perro mono y gordo, y un pez dorado.
2. Tengo cuatro mascotas en casa. Un pez azul, un pájaro amarillo bonito, una cobaya mona y un ratón blanco divertido.
3. Mi amigo tiene cinco mascotas en casa. Dos perros negros grandes, un loro amarillo que es hablador y gracioso y dos gatos siameses bonitos.
4. Mis abuelos tienen seis mascotas en casa. Tres cobayas gordas y blancas, un perro marrón grande, un pato muy gordo y un conejo negro muy mono.
5. Mi amiga tiene una mascota en casa: un gato grande y gordo. Es blanco y negro. Es muy perezoso y aburrido

14. Narrow listening: fill in the grid

Name	Age	Physical	Character	Type of pet	Pet description (3 details)
1. Juan Carlos	13	Strong	Funny	Parrot	Yellow and red / (very) talkative
2. Marisa	15	Pretty	Talkative	Duck	Black and brown / (quite) cute
3. Pedro	11	Short	Friendly	Fish	Blue and green / Big
4. Elena	18	Tall	Hard-working	Guinea pig	White and Brown / Fat

TRANSCRIPT:

(1) Me llamo Juan Carlos y tengo 13 años. Soy fuerte y gracioso. En casa tengo un loro. Es rojo y amarillo y muy hablador. **(2)** Me llamo Marisa y tengo 15 años. Soy guapa y habladora. Tengo un pato. Es negro y marrón y bastante mono. **(3)** Me llamo Pedro y tengo 11 años. Soy bajo y simpático. Tengo un pez verde y azul. ¡Es grande! **(4)** Me llamo Elena y tengo 18 años. Soy alta y trabajadora. En casa tengo una cobaya blanca y marrón. Es gorda.

UNIT 8 – TALKING ABOUT JOBS

1. Multiple choice quiz: select the correct job

	a	b	c
1. Eva	accountant	**nurse**	housewife
2. Rosa	lawyer	farmer	**mechanic**
3. Pablo	engineer	businessman	**doctor**
4. Pau	househusband	**singer**	cook
5. Ada	**waitress**	receptionist	policeman
6. Ana	**farmer**	actress	doctor
7. Marta	teacher	**astronaut**	postman
8. Sam	lawyer	**labourer**	mechanic
9. Teo	househusband	singer	**cook**
10. Lea	**student**	doctor	farmer

TRANSCRIPT: (1) Me llamo Eva y soy enfermera. **(2)** Me llamo Rosa y soy mecánica. **(3)** Me llamo Pablo y soy médico. **(4)** Me llamo Pau y soy cantante. **(5)** Me llamo Ada y soy camarera. **(6)** Me llamo Ana y soy granjera. **(7)** Me llamo Marta y soy astronauta. **(8)** Me llamo Sam y soy obrero. **(9)** Me llamo Teo y soy cocinero. **(10)** Me llamo Lea y soy estudiante.

2. Listening for detail: Did you hear the masculine or the feminine form?

MASCULINE	FEMININE
1. actor	**actriz**
2. cocinero	**cocinera**
3. **hombre de negocios**	mujer de negocios
4. granjero	**granjera**
5. ingeniero	**ingeniera**
6. abogado	**abogada**
7. **aburrido**	aburrida
8. activo	**activa**
9. **divertido**	divertida

3. Split sentences - listen and match

1. Iván	a. Labourer
2. Silvia	b. Lawyer
3. Paco	c. Doctor
4. Felipe	d. Cook
5. Consuelo	e. Accountant
6. Juan	f. Hairdresser
7. Verónica	g. Teacher
8. Julio	h. Mechanic
9. Roberto	i. Footballer
10. Maite	**j. Actor**

ANSWERS: 1j 2a 3b 4d 5c 6e 7f 8h 9i 10g

TRANSCRIPT: (1) Me llamo Iván y soy actor. **(2)** Me llamo Silvia y soy obrera. **(3)** Me llamo Paco y soy abogado. **(4)** Me llamo Felipe y soy cocinero. **(5)** Me llamo Consuelo y soy médica. **(6)** Me llamo Juan y soy contable. **(7)** Me llamo Véronica y soy peluquera. **(8)** Me llamo Julio y soy mecánico. **(9)** Me llamo Roberto y soy futbolista. **(10)** Me llamo Maite y soy profesora.

4. Spot the intruders

Me llamo ~~**Juan**~~ Carlos y voy a hablarte de mi familia. En mi familia somos tres ~~**personas**~~: mi padre, mi madre, ~~**mi hermano**~~ y yo. Mi padre se llama Pablo. Tiene cincuenta ~~**y seis**~~ años. Es ~~**muy**~~ alto y un poco gordo. Es calvo. Es simpático y ~~**también es**~~ trabajador. Trabaja como ~~**un**~~ contable. ~~**No**~~ le gusta porque es un trabajo bien pagado. Mi madre trabaja como ~~**una**~~ peluquera. Le encanta ~~**este trabajo**~~ porque ~~**él**~~ es muy divertido y gratificante. A mí me gustaría trabajar como ~~**un**~~ cocinero y ser famoso como Gordon Ramsay.

5. Listen, spot and correct the errors

Me llamo **María**. Soy de Bilbao. Mi persona favorita en mi familia es mi **abuela.** Es tímida pero muy **amable**. Mi **abuela** es contable pero ahora no trabaja. Odio a mi **tío**. Es inteligente pero muy muy antipático. Mi **tío** es **profesor** pero odia su trabajo porque es **estresante** y aburrido. Trabaja en un **colegio** en Bilbao. En casa tengo una **tortuga** que se llama Donatello. Es lenta pero muy **divertida**, como mi hermana Casandra.

6. Categories - Listen to the six sentences and classify the words you hear in adjectives and nouns

NOMBRES (nouns)	ADJETIVOS (adjectives)
Recepcionista	**Fácil**
Músico	**Divertido**
Profesor	**Gratificante**
Abogada	**Estimulante**
Mujer de negocios	**Interesante**
Granjero	**Activo**

TRANSCRIPT:
(1) Soy recepcionista, es fácil. **(2)** Soy músico, es divertido. **(3)** Soy profesor, es gratificante. **(4)** Soy abogada, es estimulante. **(5)** Soy mujer de negocios, es interesante. **(6)** Soy granjero, es activo.

7. Spot the missing words and write them in

Me llamo Maite. En mi familia **(hay)** cuatro personas. Mi padre se llama Emilio y **(es)** abogado. **(Le)** gusta su trabajo porque es **(muy)** estimulante. Sin embargo, **(a veces)** es estresante. Mi madre es ama **(de)** casa y le gusta bastante **(su)** trabajo. Dice **(que)** es muy gratificante. En casa tengo un perro **(que)** se llama Corona. ¡Es muy **(grande** y **divertido!)** No me gustan los gatos.

8. Faulty translation: correct the translation errors

My name is Felipe. I am **eighteen** years old and live in Cartagena, in Colombia. In my family there are **five** people. I have a very funny **guinea pig** called Johnny. My father works as a **director** in a **company** in the town centre. He does not like his job because it is **difficult**. My mother is a doctor. She likes her job a lot because it is **stimulating** and **exciting**.

TRANSCRIPT:
Me llamo Felipe. Tengo **18** años y vivo en Cartagena, en Colombia. En mi familia hay **5** personas. Tengo una **cobaya** muy graciosa que se llama Johnny. Mi padre trabaja como **director** de una **empresa** en el centro de la ciudad. No le gusta su trabajo porque es **difícil**. Mi madre es médica. Le gusta mucho su trabajo porque es **estimulante** y **apasionante**.

10. Translate the sentences into English
1. In my family there are 3 people: my parents and I.
2. My parents are very kind but strict.
3. My father is a labourer.
4. He does not like his job because it is tiring.
5. My mother is a waitress in a restaurant.
6. She likes her job because it is fun.
7. I do not work.
8. I am a student at the university.
9. I love it because it is stimulating.

TRANSCRIPT:
1. En mi familia hay tres personas: mis padres y yo.
2. Mis padres son muy amables pero estrictos.
3. Mi padre es obrero.
4. No le gusta su trabajo porque es agotador.
5. Mi madre es camarera en un restaurante.
6. Le gusta su trabajo porque es divertido.
7. Yo no trabajo.
8. Soy estudiante en la universidad.
9. Me encanta porque es estimulante.

9. Listen and fill in the grid

Person	Job
1. My father	Cook
2. My mother	Lawyer
3. My older brother	Waiter
4. My younger brother	Gardener
5. My sister	Business woman
6. My best friend	Singer
7. My girlfriend	Doctor
8. My grandfather	Accountant

TRANSCRIPT:
1. Mi padre es cocinero.
2. Mi madre es abogada.
3. Mi hermano mayor es camarero.
4. Mi hermano menor es jardinero.
5. Mi hermana es mujer de negocios.
6. Mi mejor amiga es cantante.
7. Mi novia es médica.
8. Mi abuelo es contable.

11. Listen, spot and correct the errors

a. Yo trabaj**O** en el campo.

b. Mi madre trabaj**A** como cocinera.

c. Mi padre **ES** peluquero.

d. Mis hermanos no trabaja**N.**

e. Mi novia es act**RIZ.**

f. Mi mejor amigo **ES** bomber**O.**

g. Mi prima es médic**A.**

h. Mis tíos son granjero**S.**

12. Narrow listening - Gapped translation

My name is **Andrea**. In my family there are **five** people. My **father** is called Cristián. He is tall and **handsome**. He works as a **policeman**. He loves his job because it is **exciting**. My mother is an **accountant**. She does not **like** her job because it is **boring**. She wants to be a **nurse** because it is very **rewarding** and she is very **helpful**. My two **brothers** are students at **university**. They love it because it is **fun** and **interesting**. I am still a **student** in a secondary school. I hate school because it is **boring** and **difficult**.

TRANSCRIPT: Me llamo **Andrea.** En mi familia hay **cinco** personas. Mi **padre** se llama Cristián. Él es alto y **guapo**. Trabaja como **policía**. Le encanta su trabajo porque es **apasionante**. Mi madre es **contable**. No **le gusta** su trabajo porque es **aburrido**. Ella quiere ser **enfermera** porque es muy **gratificante** y ella es muy **servicial**. Mis dos **hermanos** son estudiantes en la **universidad**. Les encanta porque es **divertido** e **interesante**. Yo todavía soy **estudiante** de secundaria**.** Odio el colegio porque es **aburrido** y **difícil.**

13. Listening Comprehension - listen and answer the questions about Valeria and Fernando

TEXT 1: Valeria		**TEXT 2: Fernando**	
What job does Valeria's father do?	Gardener	**What job does his father do?**	Lawyer
What does he think about his job?	Loves it - likes working outside/fresh air	**What does he think about his job?**	Doesn't like it - boring - repetitive
What job does Valeria's mother do?	Doctor	**What job does his mother do?**	Businesswoman
What does she think about her job?	She likes it - rewarding - she can help people	**What does she think about her job?**	Likes it - it's a bit difficult
What job does Valeria want to do one day?	Teacher	**What job does Fernando want to do one day?**	Singer
Why?	Work with kids - it's a creative job	**Why?**	Likes singing and playing guitar

TRANSCRIPT:

1. Hola, me llamo Valeria. Mi padre es jardinero. Le encanta su trabajo porque le gusta trabajar afuera, al aire libre. Mi madre es médica en un hospital. También le gusta su trabajo porque es gratificante y puede ayudar a la gente. En el futuro yo quiero ser profesora porque quiero trabajar con niños y es un trabajo creativo.
2. Hola, me llamo Fernando. Mi padre es abogado y no le gusta su trabajo. Dice que es aburrido y muy repetitivo. Mi madre es mujer de negocios. Le gusta bastante su trabajo, pero es un poco difícil. Un día yo quiero ser cantante porque me encanta cantar y tocar la guitarra.

14. Narrow listening: fill in the grid

Name	Age	Character and physique	Father's job	Mother's job	His/her ideal job
1. Juan Carlos	10	Short / strong	Labourer	Teacher	Engineer
2. Marisa	12	Tall / sporty	Hairdresser	Dentist	Lawyer
3. Pedro	15	Medium height / hardworking	Farmer	Housewife	Policeman
4. Andrea	13	Tall/ funny	Footballer	Actress	Doctor

TRANSCRIPT:

(1) Hola, soy Juan Carlos y tengo 10 años. Soy bajo y fuerte. Mi padre es obrero y mi madre es profesora. Un día me gustaría ser ingeniero. **(2)** Hola, soy Marisa y tengo 12 años. Soy alta y muy deportista. Mi padre es peluquero y mi madre es dentista. Un día me gustaría ser abogada. **(3)** Hola, soy Pedro y tengo 15 años. Soy de estatura media y muy trabajador. Mi padre es granjero y mi madre es ama de casa. Un día me gustaría ser policía. **(4)** Hola, soy Andrea y tengo 13 años. Soy alta y graciosa. Mi padre es futbolista y mi madre es actriz. Un día me gustaría ser médica.

UNIT 9 – COMPARING PEOPLE'S APPEARANCE AND PERSONALITY

1. Multiple choice quiz: select the correct adjective

Alex (tall) **Rosa** (short) **Pablo** (noisy) **Paco** (good-looking) **Ada** (lazy) **Pepe** (unfriendly) **Marta** (strong) **Sam** (friendly) **Teo** (serious) **Lea** (hard-working)

TRANSCRIPT:

1. Me llamo Alex y soy alto.
2. Me llamo Rosa y soy baja.
3. Soy Pablo y soy ruidoso.
4. Soy Paco y soy guapo.
5. Me llamo Ada y soy perezosa.
6. Me llamo Pepe y soy antipático.
7. Me llamo Marta y soy fuerte.
8. Soy Samuel y soy simpático.
9. Soy Teo y soy serio.
10. Me llamo Lea y soy trabajadora.

2. Listening for detail: Did you hear the masculine or the feminine form?

MASCULINE	FEMININE
aburrido	**aburrida**
hablador	**habladora**
perezoso	**perezosa**
ruidoso	ruidosa
tranquilo	**tranquila**
alto	alta
simpático	simpática
serio	**seria**
trabajador	trabajadora

TRANSCRIPT:

1. aburrida
2. habladora
3. perezosa
4. ruidoso
5. tranquila
6. alto
7. simpático
8. seria
9. trabajador

3. Complete with 'más...que', 'menos...que' or 'tan...como' as shown in the example

*a. (Example) Mi madre es **más** alta **que** mi padre.*

b. Mi hermano es **menos** deportista **que** yo.

c. Mi gato es **tan** tranquilo **como** mi perro.

d. Yo soy **más** fuerte **que** mi primo.

e. Mi abuelo es **menos** viejo **que** mi abuela.

f. Mi mejor amigo es **tan** bajo **como** yo.

g. Mi tío es **más** gordo **que** mi padre.

h. Mi primo Ian es **tan** guapo **como** mi primo Ronnie.

4. Listen and fill in the middle column with the missing information in English. *e.g. Arantxa is taller than Felipe.*

1. Silvia	as short as	Alfonso
2. Juan	fatter	Pedro
3. Paco	friendlier	Jaime
4. Maite	less talkative	Gonzalo
5. Consuelo	lazier	Pilar
6. Julio	more hard-working	Yolanda
7. Felipe	more affectionate	Jordi
8. Dylan	as stupid as	Samuel
9. Verónica	less sporty	Sergio

TRANSCRIPT:

1. Me llamo Silvia y soy tan baja como Alfonso.
2. Me llamo Juan y soy más gordo que Pedro.
3. Me llamo Paco y soy más simpático que Jaime.
4. Soy Maite y soy menos habladora que Gonzalo.
5. Soy Consuelo y soy más perezosa que Pilar.
6. Me llamo Julio y soy más trabajador que Yolanda.
7. Me llamo Felipe y soy más cariñoso que Jordi.
8. Soy Dylan y soy tan estúpido como Samuel.
9. Soy Verónica y soy menos deportista que Sergio.

5. Spot the differences and correct your text

a. Yo soy más alto que mi **padre**.

b. Mi **hermano** es tan perezoso como yo.

c. Mi mejor amigo es **menos** trabajador que yo.

d. Mi hermana es **tan** guapa **como** mi madre.

e. Mi perro es más ruidoso que mi **gato**.

f. Mi abuela es **más** vieja que mi abuelo.

g. Mi madre es **más** deportista **que** mi hermano y yo.

6. Spot the missing words and write them in

Me llamo Jaime. En mi familia **(hay)** tres personas. Somos **(todos)** deportistas, pero mis padres son más deportistas que yo. Somos todos altos **(también)**, pero yo soy más alto **(que)** mis padres. Somos todos **(un)** poco gordos, pero mi padre es más gordo que **(mi)** madre y yo. ¡**(Yo)** soy el más delgado de mi familia! Somos todos **(bastante)** trabajadores, pero mis padres son **(mucho)** más trabajadores que yo. Yo soy un **(poco)** perezoso.

7. Faulty translation: spot the translation errors and correct them

ANSWERS:

My name is Juan Francisco. In my family there are **three** people: my father, my **mother** and I. We are all very **fat** but I am slimmer than my parents. We are all **friendly**, but my mother and I are more **serious** and **hard-working** than my father. We are all **tall**, but my father and my **uncle** are **shorter** than me. I am the **strongest** in the family.

TRANSCRIPT:

Me llamo Juan Francisco. En mi familia hay **tres** personas: mi padre, mi **madre** y yo. Somos todos muy **gordos** pero yo soy más delgado que mis padres. Todos somos **simpáticos**, pero mi madre y yo somos más **serios** y **trabajadores** que mi padre. Todos somos **altos**, pero mi padre y mi **tío** son más **bajos** que yo. Soy el más **fuerte** de la familia.

9. Listen, spot and correct the errors

a. Mi madre es más **alta que** yo.

b. Mi padre es más trabajador que **yo.**

c. Mi hermano mayor **es** más fuerte que mi hermano menor.

d. Mi abuelo es más **viejo** que mi abuela.

e. Yo soy más delgado **que** mis padres.

f. Mis tíos son **mucho** más viejos que mis padres.

g. Mis abuelos maternos son tan **viejos** como mis **abuelos paternos.**

h. Mis primos **son** más ricos que **nosotros.**

8. Listen and complete the translation

Person	Description
1. My father is...	Taller than me
2. My mother is...	As good-looking as me
3. My older brother is...	More muscular than me
4. My younger brother is...	Skinnier than me
5. My sister is...	More hardworking than me
6. My uncle is...	Shorter than me
7. My grandma is...	more talkative than me
8. My best friend is....	less serious than me
9. My girlfriend is...	funnier than me
10. My dog is...	as relaxed as me

TRANSCRIPT:

1. Mi padre es más alto que yo.
2. Mi madre es tan guapa como yo.
3. Mi hermano mayor es más musculoso que yo.
4. Mi hermano menor es más delgado que yo.
5. Mi hermana es más trabajadora que yo.
6. Mi tío es más bajo que yo.
7. Mi abuela es más habladora que yo.
8. Mi mejor amigo es menos serio que yo.
9. Mi novia es más graciosa que yo.
10. Mi perro es tan tranquilo como yo.

10. Narrow listening - Gapped translation

My name is Antonio. I am **twenty** years old. I am from Mérida, but live in **London**. In my family we are **five** people: my parents, my two **brothers**, Carlos, Luis and me. Carlos is **taller**, more handsome and **stronger** than Luis, but Luis is friendlier, more intelligent and **hardworking** than Carlos. My **parents** are called Fernando and Pilar. Both are very **nice** but my father is **stricter** than my mother. Moreover, my mother is more patient and less stubborn than my father. I am as **stubborn** as my father! I have a pet, a **duck** called Amo. My parents say Amo is as **noisy** as me.

TRANSCRIPT:

Me llamo Antonio y tengo **veinte** años. Soy de Mérida, pero vivo en **Londres**. En mi familia somos **cinco** personas: mis padres, mis dos **hermanos**, Carlos y Luis, y yo. Carlos es **más alto**, más guapo y **más fuerte** que Luis, pero Luis es más amable, más inteligente y **trabajador** que Carlos. Mis **padres** se llaman Fernando y Pilar. Ambos son muy **simpáticos** pero mi padre es **más estricto** que mi madre. Además, mi madre es más paciente y menos terca que mi padre. ¡Yo soy tan **terco** como mi padre! Tengo una mascota, un **pato** que se llama Amo. Mis padres dicen que Amo es tan **ruidoso** como yo.

11. Listen and write down what order you hear each chunk of text

6	My father is funnier than my mother
4	Gabriela is prettier than Consuelo
8	I am as fun as my mother
1	**My name is Pilar.**
5	...but Consuelo is much nicer than Gabriela
7	...but my father is less fun than my mother
2	I am twenty years old
9	However, my dog is as lazy as a sloth.
3	I live with my parents and two sisters, Gabriela and Consuelo

TRANSCRIPT: Hola, me llamo Pilar y tengo 20 años. Vivo con mis padres y mis dos hermanas, Gabriela y Consuelo. Gabriela es más guapa que Consuelo, pero Consuelo es mucho más agradable que Gabriela. Mi padre es más gracioso que mi madre, pero mi padre es menos divertido que mi madre. Yo soy tan divertida como mi madre. Sin embargo, mi perro es tan perezoso como un perezoso.

12. Answer the questions below about Enrique

a. How old is he? **15**

b. Where does he live? **Ceuta**

c. How many people are there in the family? **Five**

d. Pablo is **slimmer** and **sportier** than Julio

e. Julio is **taller** and **stronger** than Pablo

f. Why does he prefer his father? **He is less strict**

g. He is as **stubborn** as his mother

h. Which of his pets is more talkative? **The parrot**

TRANSCRIPT: Hola, soy Enrique. Tengo 15 años y vivo en Ceuta**.** Hay 5 personas en mi familia. Mi hermano Pablo es más delgado y deportista que mi hermano Julio. Sin embargo, Julio es más alto y fuerte que Pablo. Prefiero a mi padre porque es menos estricto que mi madre. Yo soy tan terco como mi madre. Tengo muchas mascotas en casa pero mi loro es el más hablador.

13. Listening slalom: follow the speaker from top to bottom and number the boxes accordingly

1	2	3	4
My mother is more (1)	My mother is as (2)	My mother is less (3)	My stepmother is (4)
affectionate than my father, (3)	**talkative than my father, (1)**	less hard working than my mother (4)	hardworking as my father, (2)
as sporty as (2)	as lazy as (3)	**as tall as (1)**	less generous than (4)
my father (4)	I (2)	my older sister (3)	**my younger sister (1)**
and less (3)	and much more (4)	**and more (1)**	and as (2)
boring (4)	**annoying (1)**	unfriendly (2)	intelligent than (3)
as my younger sister (2)	her sisters (3)	than my goldfish. (4)	**than my brother (1)**

TRANSCRIPT: (1) Mi madre es más habladora que mi padre, tan alta como mi hermana menor y más molesta que mi hermano. **(2)** Mi madre es tan trabajadora como mi padre, tan deportista como yo y tan antipática como mi hermana menor. **(3)** Mi madre es menos cariñosa que mi padre, tan perezosa como mi hermana mayor y menos inteligente que sus hermanas. **(4)** Mi madrastra es menos trabajadora que mi madre, menos generosa que mi padre y mucho más aburrida que mi pez dorado.

UNIT 10 – SAYING WHAT IS IN MY SCHOOLBAG/CLASSROOM

1. Multiple choice quiz - What items do they have?

	a	b	c
1. Rafa	**a red pen**	a red pencil	a red rubber
2. Alejandra	a modern computer	modern furniture	**a modern classroom**
3. Rocco	three books	**three pencil sharpeners**	three felt tip pens
4. Gabriela	**a blue rubber**	a blue textbook	a blue pen
5. José Luis	**some grey pencils**	some blue pencils	some green pencils
6. Dylan	**a black pencil case**	a black textbook	a black rubber
7. María Elena	an orange pencil sharpener	**an orange felt-tip pen**	an orange rubber
8. Teodoro	**a red exercise book**	a red pencil	a red ruler
9. Consuelo	a white ruler	**a white schoolbag**	a white dictionary

TRANSCRIPT:
(1) Soy Rafa y tengo un boli rojo. **(2)** Soy Alejandra y mi clase es muy moderna. **(3)** Soy Rocco y tengo tres sacapuntas. **(4)** Soy Gabriela y tengo una goma azul. **(5)** Soy José Luis y tengo algunos lápices grises.
(6) Me llamo Dylan y tengo un estuche negro. **(7)** Soy María Elena y tengo un rotulador naranja.
(8) Me llamo Teodoro y tengo un cuaderno rojo. **(9)** Soy Consuelo y tengo una mochila blanca.

2. Fill in the blanks

a. En mi **estuche** tengo dos lápices.
b. En mi **mochila** hay dos **bolígrafos.**
c. Me hace **falta** un **sacapuntas**.
d. Mi **amigo** Paco no **tiene** una goma.
e. No tengo ni **tijeras** ni **sacapuntas.**
f. En mi **mochila** hay un **estuche**, dos **libros** y tres **cuadernos**.
g. En mi **aula** hay una **mesa** del profesor y **veinte** pupitres (desks).

4. Spot the differences and correct your text

a. En mi mochila hay un estuche **verde**, un libro de **historia**, un libro de geografía, dos cuadernos **rosas**, un **diccionario** y un portátil (laptop).

b. Mi amigo Carlos tiene unos **lápices**, unos bolígrafos, un sacapuntas, una **goma**, unos rotuladores y un **pegamento** en su estuche. No tiene **una regla**. No tiene **una pluma** tampoco.

c. Mi amiga Consuelo tiene un estuche **rosa**. En su estuche tiene **dos lápices**, **un bolígrafo**, una regla y un **pegamento**.

3. Listening for detail: tick which items the speaker does NOT have

1. Arantxa	a red pencil case two pens a gluestick **a pencil sharpener** **a pencil** six felt-tip pens
2. Silvia	a green pencil case **felt-tip pens** two gluesticks three books a black pencil **a white rubber**
3.Vero	a calculator **a red ruler** two books two pencils **a rubber** a fountain pen

TRANSCRIPT:
1. Me llamo **Arantxa** y en mi mochila tengo un estuche rojo, dos bolígrafos, seis rotuladores y un pegamento. No tengo ni un lápiz ni un sacapuntas, pero no me hacen falta.
2. Me llamo **Silvia** y en mi mochila tengo un estuche verde, dos pegamentos, tres libros y un lápiz negro. Lo que no tengo son rotuladores ni una goma blanca.
3. Me llamo **Vero**. En mi mochila, tengo una calculadora, dos libros, dos lápices y una pluma. Sin embargo, no tengo ni una regla roja ni una goma y me hacen falta.

5. Spot the missing words and write them in

Me llamo Rafa. Tengo **diecisiete** años y vivo en Gerona, en España. En mi familia **hay** cuatro personas. Mi hermano **se** llama Sergio. En mi clase hay dos **pizarras**, y veintidós mesas. También hay veintidós **sillas**. Mi clase **es bonita,** pero mi profesor es muy aburrido. En mi estuche, no tengo un lápiz, **ni** un bolígrafo, ni una regla, ni una goma. **No** tengo nada. Me hace **falta** todo, básicamente. En casa tengo una rata **blanca** muy graciosa **que** se llama Speedy.

6. Faulty translation: spot and correct the translation errors

My name is Antonio. I am **15** years old and live in Valencia, in **Spain**. In my family there are five people. My **stepfather**, my mother, my brother my **stepsister** and I. We have a very funny **guinea pig** too. In my classroom there are many **things**. There is a whiteboard, a **computer** and **thirty** desks. My classroom is very **big**. In my **pencil case** I have a blue **pencil**, a yellow **felt tip**, a new rubber and a white **ruler**. My friend Marco has **pencils** of all colours. Incredible!

TRANSCRIPT:
Me llamo Antonio. Tengo **15** años y vivo en Valencia, en **España**. En mi familia hay cinco personas. Mi **padrastro**, mi madre, mi hermano, mi **hermanastra** y yo. También tenemos una **cobaya** muy graciosa. En mi clase hay muchas **cosas**. Hay una pizarra, un **ordenador** y **treinta** escritorios. Mi clase es muy **grande**. En mi **estuche** tengo un **lápiz** azul, un **rotulador** amarillo, una goma nueva y una **regla** blanca. Mi amigo Marco tiene **lápices** de todos los colores. ¡Increíble!

8. Listen, spot and correct the errors

a. Me hace falta **un** bolígrafo.

b. Mi amigo Paco tiene ocho **lápices.**

c. Tengo **una** mochila **blanca** y dos gomas.

d. Mi clase **es** pequeña pero bonita.

e. Tenemos una mascota **en** mi clase, una cobaya.

f. En mi estuche tengo dos **reglas.**

g. A mi hermana **le** hace falta un ordenador.

h. Mis primos no tienen nada. **Les** hace falta todo.

7. What do José Luis and his friends need? Please also write the colour if it is mentioned

Person	What they need
1. I (José Luis) need...	A calculator
2. My brother needs...	A yellow felt tip
3. Silvia needs...	A ruler
4. Nina needs...	A pencil
5. Pilar needs...	A computer
6. Conchi needs...	A rubber
7. Rafa needs...	A pencil sharpener
8. Miguel needs...	A compass
9. Rocío needs...	A red pen
10. Teresa needs...	A white paper

TRANSCRIPT:

1. Me llamo José Luis y me hace falta una calculadora.
2. A mi hermano le hace falta un rotulador amarillo.
3. A Silvia le hace falta una regla.
4. A Nina le hace falta un lápiz.
5. A Pilar le hace falta un ordenador.
6. A Conchi le hace falta una goma.
7. A Rafa le hace falta un sacapuntas.
8. A Miguel le hace falta un compás.
9. A Rocío le hace falta un bolígrafo rojo.
10. A Teresa le hace falta un papel blanco.

9. Narrow listening - Gapped translation

My name is Simona and I am **Italian**. I am **14** years old and I live in the **south** of Italy. In my family there are **six** people. I have a white **cat** and a black **rabbit**. In my **pencil case** I have a lot of things. I have a green **pen**, a yellow **feltip pen**, a white **ruler**, a grey **compass** and a white and blue **rubber**. The rubber is my favourite. My **schoolbag** is very big and **beautiful**. My best friend **is called** Lucía. She has only got one **thing** in her pencil case: a **pen**. In her house she has a pet. It is a **big,** yellow and blue **parrot** which speaks and sings.

TRANSCRIPT:
Me llamo Simona y soy **italiana**. Tengo **14** años y vivo en el **sur** de Italia. En mi familia hay **seis** personas. Tengo un **gato** blanco y un **conejo** negro. En mi **estuche** tengo muchas cosas. Tengo un **bolígrafo** verde, un **rotulador** amarillo, una **regla** blanca, un **compás** gris y una **goma** blanca y azul. La goma es mi favorita. Mi **mochila** es muy grande y **bonita**. Mi mejor amiga **se llama** Lucía. Ella solo tiene una **cosa** en su estuche: un **bolígrafo**. En su casa tiene una mascota. Es un **loro grande**, amarillo y azul que habla y canta.

10. Listen and arrange the information in the same order as it occurs in the text

6	I don't get along with my stepfather.
4	In my family there are four people.
7	I like my school.
1	**My name is Alejandra.**
5	I love my mother.
8	But in my classroom there isn't a computer.
2	I am twelve and live in Alicante.
9	I have a brand new school bag.
3	Alicante is in the southeast of Spain.
10	…and I carry many things inside.

TRANSCRIPT: Hola, me llamo Alejandra. Tengo 12 años y vivo en Alicante. Alicante está en el sureste de España. En mi familia hay 4 personas. Me encanta mi madre pero no me llevo bien con mi padrastro. Me gusta mi colegio, pero en mi clase no hay un ordenador. Tengo una mochila nueva y llevo muchas cosas dentro.

11. Answer the questions below about Enrique

a. Who is his favourite brother? **Juan Pablo**

b. What does his father do for a living? And his mother?
Father: fireman. Mother: nurse

c. What does he say about his school?
He likes it, but is a bit boring

d. Why does he not like his classroom?
Small and no computer

e. What 3 (different) things are there in his schoolbag?
A pencil case, 2 books and 2 exercise books

f. What two things does he not have ?
A rubber and a ruler

TRANSCRIPT: Hola, me llamo Enrique y soy de Jaen. Tengo dos hermanos pero mi favorito se llama Juan Pablo. Mi padre es bombero y mi madre es enfermera. A los dos les gusta su trabajo. Me gusta mi colegio pero es un poco aburrido. Mi clase no me gusta porque es muy pequeña y no tiene ordenador. En mi mochila tengo un estuche, dos libros y dos cuadernos. Sin embargo no tengo ni una goma ni una regla y ¡me hacen falta!

12. Listening slalom: follow the speaker from top to bottom and number the boxes accordingly

1	2	3	4
In my pencil case (1)	In his schoolbag (2)	In my schoolbag (3)	In her pencil case (4)
there are (3)	my sister has (4)	**I only have (1)**	my brother has (2)
a diary (2)	many things. (3)	a few pencils (4)	**a pen (1)**
a few felt tip pens (4)	**a pencil (1)**	there are two books (3)	a pencil case (2)
some exercise books (2)	**a rubber (1)**	a calculator (4)	three exercise books (3)
a pencil sharpener (1)	a ruler (4)	a red pencil case (3)	a dictionary (2)
and two pens (4)	and a computer (3)	and his tablet (2)	**and scissors (1)**

TRANSCRIPT:

1. En mi estuche solo tengo un bolígrafo, un lápiz, una goma, un sacapuntas y unas tijeras.
2. En su mochila mi hermano tiene una agenda, un estuche, unos cuadernos, un diccionario y su tableta.
3. En mi mochila hay muchas cosas. Hay dos libros, tres cuadernos, un estuche rojo y un ordenador.
4. En su estuche mi hermana tiene unos lápices, unos rotuladores, una calculadora, una regla y dos bolígrafos.

READING ALOUD – PART 1

1. Listen and 'shadow' the speaker by whispering after them, focusing on the letters underlined. Then read the text aloud to yourself.

Me llamo Pablo. Me encantan mis padres. Son un poco estrictos, pero muy generosos, amables y trabajadores. Tengo dos hermanos y una hermana. Mi hermano mayor es muy molesto: es ruidoso, perezoso, antipático, y muy hablador. Mi hermano menor es un encanto: es simpático, generoso, paciente, servicial y trabajador. Mi hermana es guapa y muy inteligente, pero muy aburrida. También tengo una novia. Se llama Pilar. Es alta, interesante, guapa y es muy graciosa.

2. Listen and 'shadow' the speaker by whispering after them, focusing on the letters underlined. Then read the text aloud to yourself.

Me llamo Dylan. Tengo trece años y vivo en Londres. En mi familia hay cinco personas: mi padrastro, mi madre, mi hermano mayor, mi hermanastra y yo. Tenemos algunas mascotas. Primero, tenemos un perro enorme que se llama Maximus. Es negro y hermoso. Es muy fuerte y come mucho. También tenemos una tortuga que se llama Leonardo. Mi tortuga es pequeña, verde y graciosa. Es muy tranquila y divertida. Finalmente, tenemos un loro que se llama Charlie. Él es muy hablador y gracioso. Es rojo, azul y amarillo. Me encantan mis mascotas.

3. Read the text below silently, then underline every 'c' and 'qu' pronounced 'K' like the 'C' in 'cake' and all the 'c' and 'z' pronounced like 'TH' in 'think, then listen to see if you got it right

Me llamo Carmen y tengo veinte años. Soy de Zaragoza, pero vivo en Valencia. En mi familia somos cinco personas: mis padres, mis dos hermanos, Carlos y Marcelo, y yo. Carlos es más alto, más guapo y más fuerte que Marcelo, pero Marcelo es más amable, más paciente y trabajador que Carlos. Mis padres se llaman Fernando y Mercedes. Ambos son muy simpáticos pero mi padre es más estricto que mi madre. Además, mi madre es más paciente y menos terca que mi padre. ¡Yo soy tan terca como mi padre! Tengo una mascota, un conejo que se llama Amo. Mis padres dicen que Amo es tan perezoso como yo.

4. Listen and 'shadow' the speaker - focusing on the words underlined

Me llamo Antonio. Tengo 15 años y vivo en Cádiz, en España. En mi familia hay cinco personas. Mi padrastro, mi madre, mi hermano, mi hermanastra y yo. También tenemos una cobaya muy graciosa. En mi clase hay muchas cosas. Hay una pizarra, un ordenador y treinta escritorios. Mi clase es muy grande. En mi estuche tengo un lápiz azul, un rotulador amarillo, una goma nueva y una regla blanca. Mi amigo Marco tiene lápices de todos los colores.

5. Listen and 'shadow' the speaker - focusing on the words underlined

Me llamo Simona y soy asturiana. Tengo 14 años y vivo en el sur de Italia. En mi familia hay seis personas. Tengo un gato blanco y un conejo negro. En mi estuche hay muchas cosas. Tengo un bolígrafo verde, un rotulador amarillo, una regla blanca, un compás gris y una goma blanca y azul. La goma es mi favorita. Mi mochila es muy grande y bonita. Mi mejor amiga se llama Lucía. Ella solo tiene una cosa en su estuche: un bolígrafo. En su casa tiene una mascota. Es un loro grande, amarillo y azul que habla y canta.

UNIT 11 – TALKING ABOUT FOOD

1. Listen and fill in the gaps

a. Me encanta **el chocolate.**

b. A Rafa le gusta mucho **la miel.**

c. A Paco no le gustan nada **las verduras.**

d. A Alejandro le gusta muchísimo **el queso.**

e. A mi padre le encanta **la mermelada** de fresa.

f. Mi madre odia **los plátanos.**

g. A mi hermano le encantan **los calamares.**

h. A mi hermana le chifla el **pollo asado** picante.

i. Odio los **huevos.**

2. Mystery words – guess the words, then listen and see how many you guessed right.

a. el **agua**

b. la **miel**

c. el **huevo**

d. la **carne**

e. el **pescado**

f. la **manzana**

g. el **pan**

h. el **arroz**

3. Listening for detail: tick which food items Marta and Sergio usually eat for breakfast

Marta	Mantequilla
	Pan tostado
	Zumo de fruta
	Mermelada
	Un huevo
	Queso
	Un café con leche
Sergio	**Una salchicha**
	Un huevo
	Arroz
	Un café
	Pan con miel
	Zumo de naranja
	Un plátano

TRANSCRIPT:

1. Hola, soy Marta. Para el desayuno siempre tomo pan tostado, un huevo, queso y un zumo de fruta.

2. Hola, soy Sergio. Para el desayuno normalmente tomo una salchicha, un huevo, pan con miel y un zumo de naranja.

4. Spot the differences and correct your text

a. Me encanta la fruta, sobre todo las **fresas**.

b. Odio las verduras, sobre todo **los tomates**.

c. No me gusta el pollo **asado**.

d. Me gusta muchísimo **el queso**.

e. Me gusta **un poco** la pasta.

f. Me encanta el zumo de **naranja**.

g. La carne roja es **malsana**.

h. El café es **asqueroso**.

i. Las hamburguesas son **grasientas**.

j. Las verduras son **deliciosas**.

k. Las **zanahorias** son crujientes.

l. No me gusta **nada** la leche.

5. Spot the missing words and write them in

Me llamo Fernando. ¿Qué **prefiero** comer? Me encanta **el** marisco, entonces me gustan **mucho** las gambas **y los calamares** porque son deliciosos. Me encanta el pescado porque **es** sabroso y rico **en** proteínas. **Sobre todo** me encanta el salmón. Me gusta **bastante** el pollo asado picante. **Además**, me gusta mucho la fruta, sobre todo los plátanos **y las fresas**. No aguanto las verduras porque **son** asquerosas.

6. Faulty translation: spot the translation errors and correct them

My name is Felipe. What do I enjoy eating? I love **vegetables**, especially **tomatoes. I eat** them every day. My favourite vegetables are tomatoes and **spinach** because they are **rich in vitamins**. I also like **honey** because it is **sweet** and **fruit** because it is **healthy**. I hate **meat** and **fish**. They are rich in protein but they are not **tasty**.

TRANSCRIPT:
Me llamo Felipe. ¿Qué me gusta comer? Me encantan las **verduras**, sobre todo los **tomates**. Los **como** todos los días. Mis verduras favoritas son los tomates y **las espinacas** porque son **ricas en vitaminas**. También me gusta **la miel** porque es **dulce** y **la fruta** porque es **saludable**. Odio **la carne** y **el pescado**. Son ricos en proteínas pero no son **sabrosos**. *"El tomate es una fruta"*

8. Listen, spot and correct the spelling and grammar errors

a. Me **gustaN** las verduras porque son sanas.

b. Me **encantaN** las hamburguesas.

c. El pescado y la carne son **sabrosOs**.

d. Me **gustA** bastante el zumo de naranja.

e. Como **muCHO** pescado porque es rico en proteínas.

f. No me gusta **LA** carne porque es grasienta.

g. Me encanta **EL** pollo asado porque es sabroso.

h. Me **gustaN** mucho los calamares fritos aunque sean malsanos.

7. Why do they like/dislike these foods?

People/food	Reasons for likes/dislikes
1. I like fruit because	Healthy and sweet
2. My brother loves eggs	Rich in protein and tasty
3. Silvia hates vegetables	Disgusting
4. Nina dislikes churros	Too sweet
5. Jaime likes fish	Salty, tasty and healthy
6. Conchi loves oranges	Bitter and healthy
7. Rafa loves Indian food	Spicy and tasty
8. Ahmed dislikes pork	His religion
9. Rocio dislikes sausages	Salty and unhealthy
10. Pilar dislikes tomatoes	Not tasty
11. Teresa hates french fries	Salty and unhealthy
12. Susana hates carrots	Hard and not tasty

TRANSCRIPT:
1. Me gusta la fruta porque es dulce y saludable.
2. A mi hermano le encantan los huevos porque son ricos en proteínas y sabrosos.
3. Silvia detesta las verduras porque son asquerosas.
4. A Nina no le gustan los churros porque son demasiado dulces.
5. A Jaime le gusta el pescado porque es salado, sabroso y sano.
6. A Conchi le encantan las naranjas porque son amargas y saludables.
7. A Rafa le encanta la comida india porque es picante y sabrosa.
8. A Ahmed no le gusta el cerdo por su religión.
9. A Rocío no le gustan las salchichas porque son saladas y malsanas.
10. A Pilar no le gustan los tomates porque no son sabrosos.
11. Teresa odia las patatas fritas porque son saladas y malsanas.
12. Susana odia las zanahorias porque son duras y no son sabrosas.

9. Narrow listening - Gapped translation

My name is Julián. What do I like to eat? Well, I prefer **meat**, especially **lamb**. I love it because it is **tasty**. I like burgers **a lot**. I love **sausages** too. I eat them with **French fries**. I also like fruit a lot because it is **sweet**. I don't like **vegetables**. I hate tomatoes and **carrots**. I also do not like aubergines/eggplants and **cucumbers**. They are **awful**. Moreover, I can't stand **eggs**. They are rich in protein and vitamins but they are **disgusting**.

TRANSCRIPT: Mi nombre es Julián. ¿Qué me gusta comer? Pues, prefiero la **carne**, especialmente el **cordero**. Me encanta porque es **sabroso**. Me gustan **mucho** las hamburguesas. También me encantan las **salchichas**. Las como con **patatas fritas**. También me gusta mucho la fruta porque es **dulce**. No me gustan **las verduras**. Odio los tomates y **las zanahorias**. Tampoco me gustan **las berenjenas** y **los pepinos**. Son **horribles**. Además, no soporto **los huevos**. Son ricos en proteínas y vitaminas pero son **asquerosos**.

10. Listen and arrange the information in the same order as it occurs in the text

6	She loves lamb and pork
4	She loves spinach and tomatoes
8	He also loves French fries
1	**In my family there are four people**
5	My sister loves meat
7	My father's favourite food is roast chicken
2	We all love food and eat a lot
9	I love cakes and sweets
3	My mother's favourite food is vegetables
10	I also love honey. It's sweet and healthy.

TRANSCRIPT:

En mi familia hay 4 personas. A todos nos encanta la comida y comemos mucho. Las verduras son la comida favorita de mi madre. Le encantan las espinacas y los tomates. A mi hermana le encanta la carne. Le encanta el cordero y el cerdo. La comida favorita de mi padre es el pollo asado. También le encantan las patatas fritas. A mí me encantan los pasteles y los caramelos. También me encanta la miel porque es dulce y sana.

11. Answer the questions below about Maite

a. How many people are in Maite's family? **Six**

b. What do her parents love? **Meat**

c. What does her mother hate? **Tomatoes**

d. What does her brother Rafa love?

Spicy roast chicken and French fries

e. What does her brother Jaime love?

Fish and seafood

f. What does Maite love?

Bread with honey and butter

g. What does she hate? **Eggs**

h. Why? **She thinks they are disgusting**

TRANSCRIPT: Hola, me llamo Maite. Vivo en Extremadura y hay 6 personas en mi familia. A mis padres les encanta comer carne pero a mi madre no le gustan nada los tomates. Mi hermano, Rafa, siempre come pollo asado picante y patatas fritas – le encanta. A mi otro hermano, Jaime, le encantan el pescado y el marisco. ¿Y a mí? A mí me encanta el pan con mantequilla y miel. Sin embargo, odio los huevos. En mi opinión son asquerosos.

12. Listening slalom: follow the speaker from top to bottom and number the boxes accordingly

1	2	3	4
I love (1)	I hate (2)	I can't stand (3)	I love (4)
chocolate (4)	**meat (1)**	spinach (2)	burgers (3)
and cakes (4)	sausages (3)	**because it is (1)**	and tomatoes (2)
or French fries (3)	because they are sweet (4)	because they are (2)	**tasty (1)**
and delicious (4)	disgusting. (2)	**and rich in protein. (1)**	because they are (3)
greasy (3)	**I eat it with salad (1)**	I prefer (2)	even though (4)
they're a bit unhealthy (4)	and unhealthy (3)	**or French fries (1)**	carrots (2)

TRANSCRIPT:

1. Me encanta la carne porque es sabrosa y rica en proteínas. La como con ensalada o patatas fritas.
2. Odio las espinacas y los tomates porque son asquerosos. Prefiero las zanahorias.
3. No soporto ni las hamburguesas ni las salchichas ni las patatas fritas porque son grasientas y malsanas.
4. Me encanta el chocolate y los pasteles porque son dulces y deliciosos, aunque sean un poco malsanos.

UNIT 12 – TALKING ABOUT FOOD – LIKES & DISLIKES

1. Listen and fill in the gaps

a. Por lo general desayuno un **huevo**.

b. A veces desayuno **fruta**.

c. …pero raramente desayuno **pasteles**.

d. Generalmente almuerzo **arroz** con pollo o **carne** con verduras.

e. Por lo general no meriendo **mucho**.

f. De vez en cuando meriendo pan con **miel**.

g. Normalmente ceno **sopa**.

h. A veces como **marisco** o **pescado**.

2. Mystery VERBS – guess the words, then listen and see how many you guessed right.

a. No **ceno** mucho.

b. **Desayuno** pan con mermelada.

c. **Bebo** mucha agua.

d. **Almuerzo** carne con ensalada.

e. Me **encanta** la fruta.

f. **Odio** el pescado.

3. Listening for detail: tick which food items Sergio usually eats for breakfast

Lo que desayuno	Huevos **Queso** Fruta **Pan** **Miel**
Lo que almuerzo	**Pasta** Carne **Pollo** **Sopa** Arroz
Lo que meriendo	Mermelada **Nocilla** Pasteles **Tostada** Leche
Lo que ceno	Sopa Verduras **Ensalada** **Queso** **Carne**
Lo que bebo	**Agua** **Café** **Zumo de manzana** **Zumo de naranja** Café con leche Leche

TRANSCRIPT:
Hola, me llamo Sergio. Normalmente desayuno pan con queso, o pan con miel. Me gustan los dos. Luego, almuerzo pasta con pollo y a veces sopa. Por la tarde, siempre meriendo una tostada con nocilla. La nocilla está buenísima. Finalmente, ceno una ensalada con un poco de queso y un bistec. Me encanta la carne. Bebo café, pero solo por la mañana. Luego, durante el día tomo agua o zumo de naranja o de manzana.

4. Spot the differences and correct your text

Para el desayuno por lo general como **mucho**: un plátano, dos o tres **huevos**, tostadas con **jamón**, un zumo de **manzana** y una taza de **café con leche**. El café me gusta **amargo**.

A mediodía, por lo general, almuerzo solo arroz con **pollo** o **verduras** y bebo **agua mineral**. Me encanta el pollo picante porque es **sabroso** y es rico en **proteínas**. **A menudo** como espárragos. Me encantan porque son **amargos** y ricos en vitaminas.

Para la cena no como mucho. Suelo comer **pasta** y carne con verduras, y de postre tomo un **helado** o **como** pasteles.

5. Spot the missing words and write them in

Me llamo Fernando. Por lo general no desayuno **mucho**. Solo un huevo y **una taza** de té. El té me gusta dulce, **con** mucho azúcar. A veces bebo zumo **de piña**. A mediodía almuerzo pollo **asado** con verduras y bebo agua **mineral**. Como muchas verduras porque son **muy** sanas y deliciosas. Me gustaría **comer más** gambas porque me encantan. Después del colegio meriendo dos tostadas **con miel** y bebo una taza de té. Me encanta la miel **porque es** deliciosa. Para la **cena** como bastante. Suelo comer arroz, mariscos **o pescado** con verduras y **de postre,** uno o dos pasteles.

6. Faulty translation: spot the translation errors and correct them

My name is Roberto. In general, I don't eat much for **breakfast**. Only a **banana** and a **bit** of coffee.

At **noon**, I usually eat **meat** with **fried** potatoes (aka fries) and drink mineral water. Sometimes I eat roast **chicken**. I **never** eat burgers because they are **unhealthy**. For dinner. I eat very **little**, usually **soup** or a salad.

TRANSCRIPT:

Me llamo Roberto. En general, no como mucho para el **desayuno**, solo un **plátano** y un **poco** de café. A **mediodía**, normalmente como **carne** con patatas **fritas** y bebo agua mineral. A veces como **pollo** asado. **Nunca** como hamburguesas porque no son **saludables**. Para la cena, como muy **poco**, generalmente **sopa** o una ensalada.

8. Listen, spot and correct the spelling and grammar errors

No desayuno **mucho**, solo un huevo y una taza de té. **El** té me gusta muy dulce, con **mucho** azúcar. A veces bebo **zumo de piña**.

A mediodía, almuerzo **pollo asado** con verduras y bebo **agua mineral**. Como muchas verduras porque **son deliciosas**.

Después **del** colegio, **meriendo** una tostada con mermelada.

Para **la** cena, tomo arroz con pescado o ensalada. A veces como un **helado de fresa**.

7. Write in English what each person thinks about each food/drink *(items are mentioned in order)*

1. José	Food	Opinion
	Vegetables	Disgusting
	Yoghurt	Light
	Fruit	Healthy
	Peach	Juicy
2. Dylan	**Food**	**Opinion**
	Lemonade	Refreshing
	Seafood	Tasty
	Honey	Sweet
	French fries	Greasy

TRANSCRIPT:

1. Hola, soy **José**. Las verduras no me gustan nada, son asquerosas. Sin embargo, el yogur es ligero y la fruta es sana. El melocotón en particular es muy jugoso.
2. Hola, soy **Dylan**. Me encanta beber limonada, es tan refrescante. El marisco es sabroso y la miel es dulce. No me gustan las patatas fritas porque son muy grasientas.

9. What do they have at lunch?

	What they eat (3 details)
1	Meat, veggies, a banana
2	Fish, seafood, icecream
3	Pasta, chicken, an apple
4	A burger, french fries and coke
5	A sandwich, a juice and an orange
6	Sausages, salad, a cake
7	Paella, cheese, yogurt

TRANSCRIPT:

1. Siempre almuerzo carne, verduras y un plátano.
2. Almuerzo pescado, marisco y un helado.
3. Almuerzo pasta, pollo y una manzana.
4. Para el almuerzo, tomo una hamburguesa, patatas fritas y una coca cola.
5. Almuerzo un bocadillo, un zumo de fruta y una naranja.
6. Siempre almuerzo salchichas con ensalada y un pastel.
7. Soy de Cádiz. Almuerzo paella, queso y un yogur.

10. Narrow listening - Gapped translation

Usually I don't eat **much** in the morning: a banana, one or two **eggs**, bread with **honey**, an **apple** juice and cup of coffee **without sugar**. It's a very **healthy** breakfast, rich in vitamins and **proteins**. At noon I have **chicken** with **rice** and **vegetables**. I drink cold lemonade because it **refreshing** and delicious. At dinner I have a **fish** or **seafood** soup with some **vegetables**. I love ice-cream because it is **sweet**.

TRANSCRIPT:
Por lo general, no como **mucho** por la mañana: un plátano, uno o dos **huevos**, pan con **miel**, un zumo de **manzana** y una taza de café **sin azúcar**. Es un desayuno muy **saludable**, rico en vitaminas y **proteínas**. A mediodía tomo **pollo** con **arroz** y **verduras**. Tomo limonada fría porque es **refrescante** y deliciosa. Para la cena tomo una sopa de **pescado** o **marisco** con algunas **verduras**. Me encanta el helado porque es **dulce**.

11. Listen and arrange the information in the same order as it occurs in the text

6	It is very healthy!
4	At noon I eat a lot
8	I eat bread with honey or jam
1	**At breakfast I don't eat much**
5	I eat meat or chicken with vegetables
11	I usually have fish or seafood
7	At 4 pm I have my snack
2	One or two eggs and a toast
9	It is delicious!
3	I also drink a coffee without sugar
10	I have dinner around 8.30
12	I drink 3 litres of water a day

TRANSCRIPT: Para el desayuno no como mucho. Tomo uno o dos huevos con una tostada. También bebo un café sin azúcar. A mediodía, sí como mucho. Como carne o pollo con verduras. Es muy saludable. A las 4 meriendo. Como pan con miel o mermelada. ¡Es delicioso! Ceno a eso de las ocho y media. Normalmente tomo pescado o marisco. Bebo 3 litros de agua al día.

12. Answer the questions below on Enrique

1. What 3 things does he eat at breakfast?
a. bread / b. honey / c. orange juice
2. How does he describe his breakfast? (two adjectives)
a. healthy / b. delicious
3. What does he usually have for lunch?
a. chicken / b. fish / c. meat / d. salad
4. At what time does he have dinner?
7.45
5. What does he have for dinner?
a. vegetable soup / b. an apple

TRANSCRIPT:
Hola, soy Enrique. Para el desayuno normalmente tomo pan con miel y un zumo de naranja. Me encanta mi desayuno porque es saludable y delicioso. Para el almuerzo tomo muchas cosas, pollo y pescado, y a veces carne con ensalada. Por la tarde ceno bastante temprano, a las ocho menos cuarto. Siempre ceno una sopa de verduras y una manzana.

13. Listen to Pablo talk about his family and fill in the grid

	Relationship to speaker	Starter	Main course	Dessert
Selina	Sister	Spanish omelette	Paella from Valencia	Strawberry ice-cream
Marcela	Mother	Seafood salad	Lamb chop with roast vegetables	Churros
Joaquín	Grandad	Gazpacho	Roast chicken with mushrooms	Cake
Julián	Father	Squid	Tuna fish with spinach	Crème caramel

TRANSCRIPT: Hola, me llamo Pablo. En mi familia hay 5 personas. Mi hermana **Selina** siempre come tortilla de patatas como entrante y luego una paella valenciana. Su postre favorito es un helado de fresa. Mi madre, **Marcela** suele tomar ensalada de marisco como entrante, y luego una chuleta de cordero con verduras asadas. De postre, toma churros. **Joaquín** es mi abuelo. Él siempre toma gazpacho como entrante. Luego como plato principal toma pollo asado con setas. De postre normalmente come un pastel. Mi padre, **Julián** siempre toma calamares como entrante y atún con espinacas como plato principal. De postre siempre come un flan.

UNIT 13 – TALKING ABOUT CLOTHES AND ACCESSORIES

1. Listen and fill in the gaps

a. En casa **llevo** un chándal.

b. En la playa llevo un **bañador**.

c. En el gimnasio llevo una **camiseta**.

d. Nunca llevo **botas**.

e. Cuando hace frío llevo una **bufanda**.

f. En la discoteca llevo una **camisa**.

g. Mi hermano siempre **lleva** zapatillas de deporte.

h. Mi novia lleva **ropa elegante**.

2. Mystery WORDS – guess the words, then listen and see how many you guessed right.

a. Una **bufanda**

b. Una **camisa**

c. Una **falda**

d. Un **abrigo**

e. Un **jersey**

f. Un **traje**

g. Un **bañador**

3. Listening for detail: tick the clothes Dylan wears

Lo que llevo cuando hace frío	**Una bufanda** Un jersey **Un abrigo** **Botas** Un bañador
Lo que llevo cuando salgo con mi novia	**Una camisa** Un cinturón **Pantalones** Sandalias Zapatos elegantes
Lo que llevo cuando salgo con mis amigos	**Una chaqueta deportiva** Una falda Un sombrero Un chaleco **Zapatillas de deporte**
Lo que llevo cuando me quedo en casa	Un jersey **Una camiseta** **Pantuflas** Un sombrero **Unos vaqueros**

TRANSCRIPT:
Hola soy Dylan y cuando hace frío llevo una bufanda, un abrigo y botas. No me gusta nada el frío. Cuando salgo con mi novia llevo una camisa y pantalones, pero si salgo con mis amigos llevo una chaqueta deportiva y zapatillas de deporte. Cuando me quedo en casa llevo una camiseta, unos vaqueros y pantuflas.

4. Spot the differences and correct your text

Me llamo Alejandra. Tengo **dieciocho** años. Soy **muy** deportista y tengo ropa de muchos colores y **estilos** diferentes.

Prefiero la ropa de **buena** calidad pero no muy **cara**. Por lo general, en casa llevo un **jersey** o una camiseta, **vaqueros** y zapatillas de deporte o **pantuflas**.

Cuando voy al gimnasio, llevo un **chándal** y zapatillas de deporte **negras**. Tengo **ocho** chándales diferentes. **No** son de marca porque las marcas me **dan igual**.

Cuando salgo con mis amigos **llevo** una chaqueta **deportiva**, vaqueros y zapatillas de deporte.

Cuando salgo con mi **novio** me pongo vestidos elegantes y **cómodos** y mis **zapatos** favoritos. También son **bonitos** y cómodos.

5. Spot the missing words and write them in

Me llamo Jean-Paul. Tengo dieciocho **años**. Soy **de** Francia. En mi familia **hay** cuatro personas y me llevo bien con todos. Tenemos **tres** mascotas, un perro, un loro muy hablador y un pez **dorado**.
Me encanta comprar ropa, sobre todo zapatillas **de deporte** y camisetas de colores **y estilos** diferentes. No tengo **mucha** ropa, pero me gusta mucho la ropa **que tengo**. Me encanta la ropa **italiana**. Cuando hace frío, **por lo general** llevo un abrigo y pantalones negros, **grises** o morados. A veces llevo una chaqueta **deportiva**. Cuando hace calor, llevo camisas **sin** mangas, vaqueros **y** sandalias. Mis comidas **preferidas** son la pizza, **el queso** y la pasta. Odio **las** verduras.

6. Faulty translation: spot the translation errors and correct them

I **love** clothes. Especially sports clothes. I have many **tracksuits**. My favourite tracksuit is blue and **white**. I also have many **sports shoes**. At home I usually wear a T-shirt, **old** jeans and **slippers**.
When I go out with my **friends**, if it's hot I wear a T-shirt and **shorts**. If it's cold I wear a **sports jacket** and my favourite jeans.

TRANSCRIPT:
Me **encanta** la ropa. Especialmente la ropa deportiva. Tengo muchos **chándales**. Mi chándal favorito es azul y **blanco**. También tengo muchas **zapatillas de deporte**. En casa suelo llevar una camiseta, unos vaqueros **viejos** y **pantuflas**.
Cuando salgo con mis **amigos**, si hace calor llevo una camiseta y **pantalones cortos**. Si hace frío me pongo una **chaqueta deportiva** y mis vaqueros favoritos.

7. Write in English the clothing item/accessory and description

	Noun	Adjective
1	Skirt	Blue
2	Shirt	Black
3	Suit	Grey
4	Earrings	Gold
5	Watch	Expensive
6	Skirt	Pretty
7	T-shirt	White
8	Boots	Cool

TRANSCRIPT:
1. Una falda azul.
2. Una camisa negra.
3. Un traje gris.
4. Unos pendientes de oro.
5. Un reloj caro.
6. Una falda bonita.
7. Una camiseta blanca.
8. Unas botas chulas.

8. Listen, spot and correct the spelling and grammar errors

Me llamo Sergio. Tengo quince años. Cuando voy **al** colegio, llevo una camisa azul, ***pantalones** azules y zapatos **negros**.

En casa por lo general llevo una camiseta, **vaqueros** y **pantuflas**. Tengo **muchas** camisetas y vaqueros.

Cuando voy al gimnasio, llevo una camiseta sin mangas, pantalones **cortos** y zapatillas **de** deporte. Cuando voy al centro **comercial** con **mis** amigos llevo una chaqueta, una camisa, unos pantalones negros o **grises**, y zapatos negros.

****No accent in plural***

9. What are they wearing?

	Four details each
Paola	a scarf, a jumper, a skirt, boots
Eva	a necklace, a T-shirt, jeans, trainers
Silvio	a suit, a shirt, a tie and black shoes

TRANSCRIPT:
1. Mi amiga Paola siempre lleva una bufanda, un jersey, una falda y botas.
2. Mi hermana Eva lleva un collar, una camiseta, vaqueros y zapatillas de deporte.
3. Mi primo Silvio es abogado. Para ir al trabajo, lleva un traje, una camisa, una corbata y unos zapatos negros.

10. Narrow listening - Gapped translation

Usually, in the winter at home I wear a **jumper**, **old** trousers and **slippers**. In the summer, instead, I wear a **t-shirt**, **shorts** and **flip-flops**. I have a lot of **sports clothes** but also some **elegant** clothes. I like **branded/designer** clothes but they are very expensive so, I don't have **many**. When I go out with my friends or with my **girlfriend** in the **summer**, I wear a **cool** T-shirt, **jeans**, trainers and **sunglasses**. In the **spring** however, I wear a coat, Levi's jeans and **boots**.

TRANSCRIPT:

Por lo general, en invierno, en casa llevo un **jersey**, pantalones **viejos** y **pantuflas**. En verano, en cambio, llevo una **camiseta**, **pantalones cortos** y **chanclas**. Tengo mucha **ropa deportiva** pero también ropa **elegante**. Me gusta la ropa **de marca** pero es muy cara, así que no tengo **mucha**. Cuando salgo con mis amigos o con mi **novia** en **verano**, llevo una camiseta **guay**, **vaqueros**, zapatillas de deporte y **gafas de sol**. Sin embargo, en **primavera** llevo un abrigo, vaqueros Levis y **botas**.

11. Listen and arrange the information in the same order as it occurs in the text

3	I live in the south, in the Algarve
7	At school I wear a brown shirt
1	**My name is Gabriela**
5	I have a big blue parrot
10	with jeans and trainers
6	At home I wear a tracksuit
2	and I live in Portugal
9	When I go out I wear a pink T-shirt
4	I have three brothers and a sister
8	and black trousers

TRANSCRIPT: Me llamo Gabriela y vivo en Portugal. Vivo en el sur, en el Algarve. Tengo tres hermanos y una hermana. Tengo un loro grande y azul. En casa llevo un chándal. En el colegio llevo una camisa marrón y pantalones negros. Cuando salgo llevo una camiseta rosa con vaqueros y zapatillas de deporte.

12. Listen to Diego's description of himself and his family and answer the questions below in English

1. Where is he from? **Cádiz**
2. How many siblings has he got? **2**
3. What are his favourite foods? (3 details) **Honey, ice-cream and cakes**
4. Why? **He likes sweet things**
5. What does he usually wear? (3 details) **(Cool) t-shirt, shorts and flip-flops**
6. What are his favourite shoes? (2) **Black trainers**
7. Who wears jeans and flip flops all the time? **His older brother**
8. Who wears elegant clothes? **His cousin Vero**

TRANSCRIPT: Hola, soy Diego y soy de Cádiz. Tengo dos hermanos, uno menor y otro mayor. Mis comidas favoritas son helados, miel y pasteles. Es porque me encanta la comida dulce. Normalmente llevo una camiseta guay, unos pantalones cortos y unas chanclas. Mis zapatos favoritos son unas zapatillas de deporte negras. Mi hermano mayor lleva vaqueros con chanclas todos los días. Mi prima Vero es abogada, siempre lleva vestidos y trajes elegantes.

13. Fill in the grid – What did they buy?

	Item bought	What for	Colour	Opinion	Price
Vero	Suit	Work	Navy blue	Elegant	50 euros
Ana	Trainers	Gym	Green and white	Comfortable	45 euros
Pepe	Shirt	Go out with gf	Dark grey	Pretty	5 euros
Maite	High-heel shoes	Birthday party	Black and gold	Not comfy	87 euros

TRANSCRIPT: (1) Hola, soy Vero. Hace dos días compré un traje para el trabajo. Es de color azul marino y muy elegante. Me costó 50 euros. **(2)** Hola, Soy Ana, ayer compré unas zapatillas de deporte para ir al gimnasio. Son blancas y verdes y muy cómodas. Solo me costaron 45 euros. **(3)** Hola, soy Pepe. Hace tres días compré una camisa para salir con mi novia. Es de color gris oscuro y muy bonita. Me costó 5 euros. ¡Muy barato! **(4)** Hola, soy Maite y la semana pasada compré unos zapatos de tacón para una fiesta de cumpleaños. Son negros y dorados pero no muy cómodos. ¡Me costaron 87 euros!

UNIT 14 – SAYING WHAT I AND OTHERS DO IN OUR FREE TIME

1. Complete with JUEGO , HAGO or VOY

a. **Juego** al ajedrez.

b. **Hago** pesas.

c. **Juego** a las cartas.

d. **Hago** escalada.

e. **Voy** a la piscina.

f. **Voy** de marcha.

g. **Voy** a casa de mi amigo.

h. **Juego** con mis amigos.

2. Complete with the missing syllables

a. Juego al te**nis**.

b. Hago senderis**mo**.

c. Voy al polideporti**vo**.

d. Voy de mar**cha**.

e. Hago ciclis**mo**.

f. Voy a la monta**ña**.

g. **Jue**go al tenis.

h. Voy a la pla**ya**.

i. Voy al par**que**.

j. Hago nata**ción**.

3. Listening for detail: what activities does Amparo do each day? Tick the correct one

Monday	**Cycling** Chess Rock climbing
Tuesday	Going to the mountain **Swimming** Going clubbing
Wednesday	**Going to the gym** Playing basketball Playing tennis
Thursday	Jogging **Homework** Horse riding
Friday	Skiing Weights **Chess**
Saturday	Hiking Weights **Bike riding**
Sunday	Swimming Weights **Fishing**

TRANSCRIPT: Hola, me llamo Amparo. Los lunes hago ciclismo con mi amiga Andrea. Los martes hago natación en la piscina. Los miércoles voy al gimnasio con mi amigo Gianfranco. Los jueves me quedo en casa y hago mis deberes. Los viernes juego al ajedrez en mi colegio. Los sábados hago ciclismo en la montaña y los domingos voy de pesca con mi abuelo Jaime.

4. Spot the intruder

Me llamo Tomás Weidner. Soy ~~**un**~~ alemán. Soy ~~**muy**~~ deportista. En mi tiempo libre hago ~~**mucho**~~ deporte. Mi deporte preferido es la escalada ~~**libre**~~. Hago escalada ~~**casi**~~ todos los días. Cuando hace mal tiempo ~~**por lo general**~~ me quedo en casa y juego al ajedrez o ~~**juego**~~ a las cartas con mi hermano ~~**menor**~~. También me gusta ~~**mucho**~~ hacer natación. Hago ~~**la**~~ natación ~~**casi**~~ todos los fines de semana en la piscina ~~**cerca**~~ de mi casa.

5. Faulty translation: correct the translation

My name is Laura. I am **dark haired** and am very **intelligent** and talkative. I am not very sporty. I prefer to **watch TV**, to play chess, play cards and go **to the park**. When the weather is nice I like going **fishing** and from time to time I go to the **shopping centre** with my **mother**. **I never** go to the gym. It is very boring in my opinion. I prefer to go **biking**.

TRANSCRIPT:
Me llamo Laura. Tengo el **pelo moreno** y soy muy **inteligente** y habladora. No soy muy deportista. Prefiero ver **la tele**, jugar al ajedrez, jugar a las cartas e ir **al parque**. Cuando hace buen tiempo, me gusta ir **de pesca** y de vez en cuando voy al **centro comercial** con mi **madre**. **Nunca** voy al gimnasio. Es muy aburrido en mi opinión. Prefiero hacer **ciclismo**.

6. What are their favourite hobbies?

1. Nina	Swimming
2. Sergio	Rock climbing
3. Luana	Ski
4. Juan Pablo	Chess
5. Alejandro	Weights
6. Lola	Going to the pool
7. Mauricio	Going fishing
8. Javier	Biking
9. Paquita	Reading

TRANSCRIPT:

1. ¡Hola! Me llamo Nina y mi pasatiempo favorito es la natación.
2. Buenos días, soy Sergio. Mi actividad favorita es la escalada. ¡Me encanta escalar!
3. ¡Hola! ¿Qué tal? Soy Luana y me encanta hacer esquí.
4. ¡Buenos días! Soy Juan Pablo y en mi tiempo libre siempre juego al ajedrez. ¡Es mi pasatiempo favorito!
5. Hola, soy Alejandro y me encanta hacer pesas.
6. Hola, soy Lola y mi pasatiempo favorito es ir a la piscina.
7. Hola, soy Mauricio y prefiero ir de pesca. Es relajante y divertido. Bueno, ¡para mí! No para los peces.
8. Me llamo Javier y en mi tiempo libre siempre hago ciclismo.
9. Me llamo Paquita y cuando tengo tiempo siempre leo libros. ¡Es lo mejor!

9. Spot and correct the grammar/spelling errors

a. Juego **al** ajedrez

b. Voy a casa **de** mi amigo

c. Hago escalada **a** menudo

d. **No** juego casi nunca al fútbol

e. Voy **al** polideportivo

f. Voy **de** marcha

g. Cuando **hace** buen tiempo hago footing

h. Hago bici **casi todos** los días

7. Spot the differences and correct your text

Me llamo Clive. Soy **escocés**. Me encanta **hacer escalada**. Lo **hago** todos los días con mis amigos. Es mi deporte favorito. A veces hago **equitación**, footing o senderismo. Son deportes apasionantes. No me gusta el **baloncesto** ni el fútbol. Son deportes aburridos. También odio hacer **ciclismo**. Hago **ciclismo** muy raramente en **el parque** cerca de mi casa. **Una vez** a la semana voy de marcha con mi **mejor** amigo, Julián. **Nos** encanta bailar.

8. Split sentences - Listen and match

1. Hago pesas		a. montaña
2. Juego al		b. tiempo
3. Voy a casa		c. a menudo
4. Voy a la		d. casi nunca
5. Cuando hace buen		e. baloncesto
6. No hago equitación		**f. todos los días**
7. No hago senderismo		g. con mi primo Paco
8. Voy al parque		h. nunca
9. Voy de pesca		i. de mi amigo

ANSWERS: 1f 2e 3i 4a 5b 6d 7h 8c 9g

TRANSCRIPT:

1. Hago pesas todos los días.
2. Juego al baloncesto.
3. Voy a casa de mi amigo.
4. Voy a la montaña.
5. Cuando hace buen tiempo.
6. No hago equitación casi nunca.
7. No hago senderismo nunca.
8. Voy al parque a menudo.
9. Voy de pesca con mi primo Paco.

10. Mystery words - predict then check

a. Escalada
b. Cartas
c. Natación
d. Parque
e. Bici
f. Esquí
g. Pesca
h. Tiempo
i. Libre

11. Spot the missing words and write them in

Me llamo Luna, soy italiana. Me encanta ir **en** bici. Voy en bici todos **los** días con mis amigos. **Es** mi deporte favorito. **Lo** hago todos los días. De vez **en** cuando hago escalada, footing, o senderismo. No me gusta **nada** el tenis ni **el** fútbol. También odio **hacer** natación. **Lo** hago muy raramente porque **es** agotador. Dos veces **a la** semana voy **de** marcha con mi amigo Julien. Me encanta bailar en **la** discoteca con mis amigos.

12. Listen to Dylan talk about his friends and fill in the grid below - in English

	Name	Age	Description	Favourite food	Favourite clothes	Favourite activity	How often they practise
1	Chris	10	Tall + funny	Chicken + chips	Tracksuit	Football	At the weekend
2	Aaron	15	Short + lazy	Tomato salad + fish	White t-shirt	Basketball	On Mondays
3	Arnoud	12	Very tall + Strong	Chips with mayonnaise	Red shoes	Horseriding	Every day
4	Nico	14	Bit fat + very hard-working	Burgers + steaks	Yellow hat	Talking	A lot
5	Niels	11	Big + kind	Salmon + soup	White and blue coat	Swimming	3 times a week

TRANSCRIPT:
Hola, soy Dylan y voy a hablar de mis amigos. **(1)** Mi amigo **Chris** tiene 10 años. Es alto y gracioso. Su comida favorita es pollo con patatas fritas. Siempre lleva un chándal, es su ropa favorita. Su deporte favorito es el fútbol y lo practica cada fin de semana. **(2)** Mi amigo **Aaron** tiene 15 años. Es bajo y muy perezoso. Su comida favorita es ensalada de tomates con pescado. Siempre lleva una camiseta blanca. Su deporte favorito es el baloncesto y lo hace todos los lunes. **(3)** Mi amigo **Arnoud** tiene 12 años. Es muy alto y fuerte. Lo que más le gusta comer es patatas fritas con mayonesa. Normalmente lleva zapatos rojos. Son sus favoritos. Su deporte favorito es la equitación y lo hace todos los días. **(4)** Mi amigo **Nico** tiene 14 años. Es un poco gordo y muy trabajador. Su comida favorita son hamburguesas y bistecs. Siempre lleva un sombrero amarillo; es su favorito. No hace deporte pero su actividad favorita es hablar y lo hace mucho… muchísimo. **(5)** Mi amigo **Niels** tiene 11 años. Es grande y amable. Le encanta comer salmón y sopa. Su ropa favorita es un abrigo blanco y azul. Su deporte favorito es la natación y lo hace 3 veces a la semana.

13. Narrow listening - Gapped translation
My name is **Jaime** and I am **17** years old. I am **Spanish** and I am a Canarian. I am not a kind of **bird**, I am someone from the beautiful **Canary Islands**. I live there with my **parents**, two **brothers** and one **sister**. My parents are very **kind** and **generous**. My brothers are very **annoying** and my sister is **funny and** helpful. My favourite foods are **chicken** and **rice**. I also eat **salad** very often. In my free time I do a lot of **sport**. I play **tennis** at school **every day**. I often do **weights** at the gym near my house. Three times a week I **go fishing** and from time to time I go to **the cinema** with my brothers. Besides sport, I also play **guitar** and go to **guitar class** once a week. I love **music**. Goodbye.

TRANSCRIPT:
Mi nombre es **Jaime** y tengo **17** años. Soy **español** y canario. No soy un tipo de **pájaro**, soy alguien de las hermosas **Islas Canarias**. Vivo allí con mis **padres**, dos **hermanos** y una **hermana**. Mis padres son muy **amables** y **generosos**. Mis hermanos son muy **molestos** y mi hermana es **graciosa** y **servicial**. Mis comidas favoritas son el **pollo** y el **arroz**. También como **ensalada** muy a menudo. En mi tiempo libre hago mucho **deporte**. Juego al **tenis** en el cole **todos los días**. A menudo hago **pesas** en el gimnasio cerca de mi casa. Tres veces a la semana voy **de pesca** y de vez en cuando voy **al cine** con mis hermanos. Además del deporte, también **toco la guitarra** y voy a **clases de guitarra** una vez por semana. Me encanta la **música**. ¡Adiós!

READING ALOUD – PART 2

1. Listen and 'shadow' the speaker by whispering after them. Then read the text aloud to yourself.

Me llamo José. En mi familia hay cuatro personas. A todos nos encanta la comida y comemos mucho. Las verduras son la comida favorita de mi madre. Le encantan las espinacas y los tomates. A mi hermana le encanta la carne. Le encanta el cordero y el cerdo. La comida favorita de mi padre es el pollo asado. También le encantan las patatas fritas. A mí me encantan los pasteles y los caramelos. También me encanta la miel porque es dulce y sana.

2. Listen and 'shadow' the speaker by whispering after them. Then read the text aloud to yourself.

Hola, me llamo Enrique y soy de Jaén. Tengo dos hermanos pero mi favorito se llama Juan Pablo. Mi padre es bombero y mi madre es enfermera. A los dos les gusta su trabajo. Me gusta mi colegio pero es un poco aburrido. Mi clase no me gusta porque es muy pequeña y no tiene ordenador. En mi mochila tengo un estuche, dos libros y dos cuadernos. Sin embargo no tengo ni una goma ni una regla y ¡me hacen falta!

3. Read the text below silently, then underline every 'c' and 'qu' pronounced 'K' like the 'C' in 'cake' and all the 'c' and 'z' pronounced like 'TH' in 'think. Then listen to the audio track check if you got it right

Hola, me llamo Ignacio García y voy a hablar de mis amigos. Mi amigo Chris tiene diecisiete años. Es alto y gracioso. Su comida favorita es pollo con patatas fritas. Siempre lleva un chándal, es su ropa favorita. Su deporte favorito es el fútbol y lo practica cada fin de semana. Mi amigo Aaron tiene dieciséis años. Es bajo y muy perezoso. Su comida favorita es ensalada de tomates con pescado. Siempre lleva una camiseta blanca. Su deporte favorito es el baloncesto y lo hace todos los lunes. Mi amigo Arnoud tiene dieciocho años. Es muy alto y fuerte. Lo que más le gusta comer es patatas fritas con mayonesa. Normalmente lleva zapatos rojos. Son sus favoritos.

4. Listen and 'shadow' the speaker by whispering after them, focusing on the WORDS underlined. Then read the text aloud to yourself.

Hola, soy <u>Iñaki</u> y soy de <u>Cádiz</u>. Tengo dos <u>hermanos</u>, uno <u>menor</u> y otro <u>mayor</u>. Mis comidas favoritas son <u>helados</u>, <u>miel</u> y pasteles. Es <u>porque</u> me encanta la comida <u>dulce</u>. Normalmente <u>llevo</u> una camiseta <u>guay</u>, unos pantalones cortos y unas chanclas. Mis <u>zapatos</u> favoritos son unas <u>zapatillas</u> de deporte negras. Mi <u>hermano mayor</u> <u>lleva</u> vaqueros con <u>chanclas</u> todos los días. Mi prima <u>Vero</u> es abogada, siempre <u>lleva</u> vestidos y <u>trajes</u> elegantes.

5. Listen and 'shadow' the speaker by whispering after them. Then read the text aloud to yourself.

Mi nombre es Julián. ¿Qué me gusta comer? Prefiero la carne, especialmente el cordero. Me encanta porque es sabroso. Me gustan mucho las hamburguesas. También me encantan las salchichas. Las como con patatas fritas. También me gusta mucho la fruta porque es dulce. No me gustan las verduras. Odio los tomates y las zanahorias. Tampoco me gustan las berenjenas y los pepinos. Son horribles. Además, no soporto los huevos. Son ricos en proteínas y vitaminas, pero son asquerosos.

UNIT 15 – TALKING ABOUT WEATHER AND FREE TIME

1. Listen and fill in the gaps

a. Cuando tengo **tiempo** juego al ajedrez.

b. Cuando está **despejado** hago ciclismo.

c. Cuando hace **buen tiempo** hago footing.

d. Cuando hace **calor** voy a la playa.

e. Cuando **llueve** voy al centro comercial.

f. Entre **semana** no hago deporte.

g. Cuando hay **niebla** no voy en bici.

h. Cuando hay **tormentas** me quedo en casa.

i. Cuando hace **mal tiempo** hago los deberes.

2. Mystery WORDS – guess the words, then listen and see how many you guessed right.

a. La **niebla**

b. El **calor**

c. El **viento**

d. El **sol**

e. **Despejado**

f. Cuando **llueve**

g. Está **nublado**

h. El **frío**

3. Listening for detail: tick the activities these four people do at the weekend

Pablo	Goes jogging Goes to the shopping centre **Goes horse riding** **Does his homework** Goes clubbing
Ana	**Goes swimming** **Goes to the shopping centre** Goes to the sports centre Plays on the computer **Goes to restaurant**
Conchi	**Goes jogging** Goes to the shopping centre Goes horse riding **Plays chess** **Goes to her friend's house**

TRANSCRIPT:

(1) Hola, soy Pablo. En mi tiempo libre hago equitación (porque me encantan los caballos) y también hago los deberes.
(2) Hola, soy Ana. En mi tiempo libre me encanta hacer natación. También, voy al centro comercial con mis amigos y al restaurante con mi familia.
(3) Hola, me llamo Conchi y en mi tiempo libre siempre hago footing. También juego al ajedrez y voy a casa de mi amigo Simón.

4. Fill in the blanks

¿Qué hago en mi tiempo libre? Muchas cosas. Cuando hace buen tiempo siempre voy al **parque**. Me gusta **correr**. Entonces hago **footing**, solo o con mi **perro**. A él también le gusta correr. Además me **encanta** hacer escalada y **senderismo**. Por lo tanto, cuando no **llueve**, hago senderismo en el bosque cerca de mi casa (vivo en el **campo**). Cuando está **despejado** y hace **calor**, me voy a la **playa**. Me encanta la **natación** y tomar el **sol**.

Cuando hace **mal tiempo**, sobre todo cuando **llueve**, me quedo en casa. Me meto en **internet**, hago los deberes, juego al **ajedrez** con mi hermano mayor o leo una **novela**. Me encanta pasar tiempo en **familia**.

5. Spot the missing words and write them in

Me llamo Thor. Soy **de** Suecia . Tengo trece **años**. Cuando **hace** calor y está despejado voy **a** la piscina y **hago** natación. También **voy** de pesca con **mi** padre en **su** barco. Es **un** poco aburrido pero me gusta **de** todas formas. **Por** la noche voy **de** marcha con mis amigos. Cuando voy a **la** discoteca, por lo general, llevo **una** camiseta y vaqueros. Mi amiga **se** llama Sofía. Es simpática **e** inteligente. **Si** hace mal tiempo y llueve **ella** siempre **se** queda en casa y hace **sus** deberes.

6. Faulty translation: correct the errors

In my free time I do lots of **things**. First of all, I **love** singing and playing the guitar. Moreover, I love buying shirts, **t-shirts**, shoes and **trainers**. I love to go shopping when it is **stormy**. When the weather is **good/nice** I **enjoy** going to the **park**, hiking in the **countryside** and, when it is **hot**, I love going to the beach or **swimming pool** and swimming. When it is **windy** I go windsurfing or sailing. In the winter, when it **snows**, I love to go to the **mountain** with my family. I love **skiing**.

Transcript: En mi tiempo libre hago muchas **cosas**. En primer lugar, **me encanta** cantar y tocar la guitarra. Además, me encanta comprar camisas, **camisetas**, zapatos y **zapatillas de deporte**. Me encanta ir de compras cuando hay **tormentas**. Cuando hace buen tiempo me **encanta** ir al **parque**, hacer senderismo en el **campo** y, cuando hace **calor**, me encanta ir a la playa o a la **piscina** y nadar. Cuando hace viento, hago windsurf o vela. En invierno, cuando **nieva**, me encanta ir a la **montaña** con mi familia. Me encanta esquiar.

8. Listen, spot and correct the spelling and grammar errors

Me llamo Patricio. Soy **de** Barcelona pero vivo en Cádiz, en **el** sur de **España**. Soy alto y **delgado**. Vivo con **mis** padres y mi hermano **mayor**, Jorge. Me llevo muy bien con mis **padres**. Pasamos **mucho** tiempo **juntos**. Me gusta mucho jugar al ajedrez con mi padre y a **las** cartas con mi madre. Paso mucho tiempo con mi hermano **también**. **Hacemos** deporte juntos, como footing, natación y **pesas**. En el fin de semana vamos **de** marcha juntos.

7. Write in English what each person thinks about different types of weather

	Opinion	Weather	Activity
1	**Loves**	**Hot**	**Beach**
2	Likes	Nice weather	Jogging
3	Loves	Wind	Sailing
4	Likes	Storms	Stay at home/watch tv
5	Hates	Cold	Shopping
6	Dislikes	Bad weather	Homework
7	Loves	Clear sky	Hiking
8	Likes	Cloudy sky	Shopping centre

TRANSCRIPT:

1. Example: Me encanta el calor. Cuando hace calor voy a la playa.

2. Me gusta cuando hace buen tiempo porque puedo hacer footing.
3. Me encanta el viento porque es perfecto para hacer vela.
4. Me gustan las tormentas porque me puedo quedar en casa y ver la tele.
5. Detesto el frío. Cuando hace frío voy de compras.
6. Cuando hace mal tiempo no me gusta porque tengo que hacer mis deberes.
7. Cuando está despejado me encanta porque hago senderismo.
8. Cuando el cielo está nublado me gusta porque entonces voy al centro comercial.

9. Sentence puzzle - listen and rewrite correctly

a. Cuando hace frío me quedo en casa.
b. Cuando hace mal tiempo voy de compras al centro comercial.
c. Cuando llueve mi padre y yo jugamos al ajedrez.
d. Cuando hace calor mi familia va a la playa.
e. Cuando hace buen tiempo damos un paseo en el parque.
f. Cuando nieva hacemos esquí en la montaña.
g. Cuando el cielo está despejado hago footing con mi perro.

10. Listen and arrange the information in the same order as it occurs in the text

6	It's a boring job
4	I am a student
8	When it's hot I go to the beach
1	**I live in Cancún, in Mexico**
5	In the summer I work in a shop
11	When it's windy
7	I love sport
2	I am tall and muscular
9	I love to swim
3	I am funny and friendly
10	I also enjoy scuba diving
12	I go sailing

TRANSCRIPT:
Hola, vivo en Cancún, en México. Soy alto y musculoso. Soy gracioso y simpático. Soy estudiante. En verano trabajo en una tienda. Es un trabajo aburrido. Me encanta el deporte. Cuando hace calor me voy a la playa. Me encanta nadar. También me gusta hacer buceo. Cuando hace viento hago vela.

11. Listen to Denisse and answer the questions below in English

1. Which country is she from? Where is this country located? **Ecuador, South America**
2. Where do they live?
Newcastle: in the north-east of England
3. What is the weather like? **Often rains and is cloudy**
4. What does she do when the weather is bad? (three details)
a. Stays at home
b. Watches telly
c. Plays on the computer
5. What does she do when the weather is nice? (three details)
a. Jogging
b. Goes to the park
c. Goes to town centre with friends

TRANSCRIPT:
Hola, ¡soy Denisse! Soy de Ecuador, en Sudamérica, pero vivo en el noreste de Inglaterra, en Newcastle. Muchas veces llueve y está nublado. Cuando hace mal tiempo, me quedo en casa, veo la tele y juego con mi ordenador. Sin embargo, cuando hace buen tiempo hago footing, voy al parque y voy al centro con mis amigos.

12. Listen to Ariela talk about her family and then fill in the grid

	I (Ariela)	My mother	My father	My sister
Personality	Funny	Kind/cheerful	Hard working	Lazy
Physique	Tall	Short	Handsome	Skinny
Favourite clothes	Old jeans	White dress	Black shirt	Pink T-shirt
What they do in good weather	1. Jogging 2. Going to park	1. Walk the dog 2. Play tennis	1. Horse-riding 2. Go to the pool	1. Go to the beach 2. Sunbathe
What they do in bad weather	1. Play chess 2. Watch tv	1. Watch tv series 2. Go on Internet	1. Play cards 2. Work	1. Reads books 2. Listen to music
What they do when it is hot	Go to beach	Go to the countryside	Stay at home	Go to the park

TRANSCRIPT:
Hola, **yo** me llamo **Ariela**. Soy graciosa y también alta. Mi ropa favorita son mis vaqueros viejos. Son viejos pero cómodos. Cuando hace buen tiempo hago footing y voy al parque. Cuando hace mal tiempo juego al ajedrez y veo la tele. Cuando hace calor siempre voy a la playa.
Mi madre es amable y alegre. Es baja. Siempre lleva un vestido blanco. Es su favorito. Cuando hace buen tiempo mi madre va de paseo con el perro. También juega al tenis. Cuando hace mal tiempo ve series en la tele y se mete en Internet. Cuando hace calor va al campo.
Mi padre es trabajador y muy guapo. Prefiere llevar una camisa negra. Cuando hace buen tiempo hace equitación y va a la piscina; pero cuando hace mal tiempo juega a las cartas o hace su trabajo. No le gusta el calor, así que cuando hace calor se queda en casa.
Mi hermana es perezosa y delgada. Siempre lleva una camiseta rosa. Es su favorita. Cuando hace buen tiempo siempre va a la playa y toma el sol. Sin embargo, cuando hace mal tiempo prefiere leer libros y escuchar música. Cuando hace calor va al parque.

UNIT 16 – TALKING ABOUT MY DAILY ROUTINE

1. Listen and fill in the gaps

1. Son las seis y **cuarto.**
2. Es la **una.**
3. Son las siete y **media.**
4. Me levanto a eso de las **seis.**
5. Salgo de casa a las **seis** y media.
6. Voy al colegio a las siete **menos** cuarto.
7. Almuerzo a **mediodía.**
8. Hago mis deberes a **eso** de las cinco.
9. Me acuesto a eso de **las** nueve.

2. Multiple choice quiz: daily routine times

	a	b	c
1	6:00 am	**7:00 am**	9:00 am
2	10:00 am	10:05 am	**10:10 am**
3	2:45 pm	**3:45 pm**	2:15 pm
4	6:15 pm	**5:45 pm**	6:05 pm
5	11:05 am	10:55 am	**10:25 am**
6	**2:30 pm**	2:15 pm	2:20 pm
7	3:15 pm	2:45 pm	**2:35 pm**
8	12 pm	**12 am**	1 pm
9	7:20 am	7:10 am	**7:50 am**
10	8:15 am	**7:45 am**	**2:35** am

TRANSCRIPT:
1. Me despierto todos los días a las 7:00 a. m.
2. Tengo el recreo a las 10:10 a. m.
3. Salgo del colegio a las 3:45 p. m.
4. Veo la tele a las 5.45 p. m.
5. Charlo con mis amigos a las 10:25 a. m.
6. Las clases terminan a las 2:30 p. m.
7. Tomo el autobús a las 2:35 p. m.
8. Mi padre se acuesta a medianoche
9. Mi amigo se levanta a las 7:50 a. m.
10. Mi amigo sale de casa a las 7:45 a. m.

3. Which of the following times do you hear in the text? Tick the ones you hear

Not mentioned:
4:00 6:20 7:30 8:05 12:10

Mentioned:

6:00 6:15 7:20 8:25 12:00

TRANSCRIPT:
Hola, me llamo David. Todos los días me despierto a las 6 y luego me levanto a las 6:15. Desayuno en la cocina a las 7:20. Luego salgo de casa y voy al colegio. Llego a las 8:25. Después de mi clase favorita, español, almuerzo a mediodía (12:00).

4. Write out the times below, then listen to check if they are correct

1. 8:15 = las ocho y cuarto
2. 7:45 = las ocho menos cuarto
3. 9:20 = las nueve y veinte
4. 6:40 = las siete menos veinte
5. 11:30 = las once y media
6. 9:25 = las nueve y veinticinco
7. 10:35 = las once menos veinticinco
8. Midnight = medianoche
9. Midday = mediodía

5. Spot the differences and correct your text

Me llamo Renaud. Soy **belga**. Siempre me **levanto** a eso de las seis y media. Luego me ducho y me **peino** enseguida. No desayuno **mucho** por la mañana, pero mi hermano Valerio desayuna cereales en el comedor con **mi padre**. Voy al colegio **a pie** a eso de las siete y cuarto. Vuelvo a casa a eso de las **tres y media** y luego me relajo un poco. Por lo general, **escucho música** en el salón. Luego **me meto** en internet, veo una serie en Netflix o veo videos de TikTok en mi **dormitorio**. Luego, a las **siete**, preparo la comida con mi madre en la cocina. Me encanta preparar **pasteles** porque son **deliciosos**. Me acuesto tarde, a eso de las **doce**.

6. Spot the missing words and write them in

Me llamo Fabián. Soy **de** Gibraltar. Tengo un perro en casa. Donde vivo hay muchos **monos.** Siempre **me** levanto temprano, a las seis **y** cuarto. Luego voy al gimnasio y **hago** deporte. Me ducho **y** vuelvo a casa. Mi hermano Joe **es** muy perezoso e inactivo. Se levanta a las siete. Joe **no** juega al fútbol y nunca hace deporte. Por **eso** está muy muy gordo. Por la tarde, **leo** tebeos en mi dormitorio o escucho música. **Entre** semana cuando vuelvo a casa hago **mis** deberes en el salón con mi madre. Me gusta porque **ella** es muy inteligente y siempre **me** ayuda. Finalmente, me acuesto a las nueve, en **mi** dormitorio.

7. Faulty translation: correct the translation

My name is Akiko, I am **Japanese**. My daily routine is **very** simple. In general, I get up **very** early, around 5:00. I go jogging and then I shower and **have breakfast**. Afterwards, around **6:45**, I have breakfast with my mother. I usually eat an egg or two and have some **bread**. Around 8:00 I leave my house and go to school **by bike.** I come back home from school at around **4:30**. Then, I rest a bit. Generally, I watch **a movie** and chat with my friends on **Whatsapp**. From 6:00 to 8:00 I do my homework. I **hate** doing homework! Then, at around **7:45**, I have dinner with my family. I don't eat a lot. Only a salad and some **chicken** or fish. Afterwards, I play on my Playstation until **11:00**. Finally, I go to bed.

TRANSCRIPT: Me llamo Akiko, soy **japonesa**. Mi rutina diaria es **muy** simple. En general, me levanto **muy** temprano, a eso de las 5:00. Hago footing y luego me ducho y **desayuno**. Después, a eso de las **6:45**, desayuno con mi madre. Normalmente como un huevo o dos y tomo un poco de **pan**. A eso de las 8:00 salgo de casa y voy al colegio **en bicicleta**. Vuelvo a la casa a eso de las 4:30. Entonces, descanso un poco. En general, veo **una película** y chateo con mis amigos en **Whatsapp**. De 6:00 a 8:00 hago mis deberes. ¡**Odio** hacer mis deberes! Luego, a eso de las **7:45**, ceno con mi familia. No como mucho. Solo una ensalada y algo de **pollo** o pescado. Después, juego a la Play hasta las **11:00**. Finalmente, me acuesto.

8. Listen and note down in English what Carmen does at each time

	Activity
6:30	Shower
7:15	Goes to school by bike
8:00	Has her first lesson of the day
9:15	She has a sandwich
3:30	Plays basketball with friends after school
4:00	Does her homework
6:30	Goes to the gym
10:00	Watches television
11.00	Goes to bed

TRANSCRIPT: Hola, soy Carmen. Todos los días, a las 6:30 me ducho. Luego voy al cole en bicicleta a las 7:15. Mi primera clase empieza a las 8:00. A las 9:15, durante el recreo, como un bocadillo. Después del colegio, a las 3:30, juego al baloncesto con mis amigos. A las 3.45 vuelvo a casa y a las 4:00 hago mis deberes en mi dormitorio. Luego a las 6.30 voy al gimnasio. Finalmente, a las 10:00 veo la televisión, y luego me acuesto a las 11:00.

9. Listen, spot and correct the spelling and grammar errors

Me llamo Alex. Soy de Mallorca. Tengo dos **perros** en casa. Siempre **me** levanto temprano, a las seis **y** cuarto. Luego voy al polideportivo y juego **al** bádminton. Me **ducho** cuando vuelvo a casa, pero mi hermano Joe **es** muy perezoso y nunca **se** ducha. Se **levanta** a las siete. Joe nunca juega **al** fútbol, y nunca hace deporte. Por eso **está** muy muy gordo. **Entre** semana cuando vuelvo a casa hago **mis** deberes en el salón con mi madre. Me gusta porque ella es muy inteligente y siempre **me** ayuda. Finalmente, me acuesto a **las** nueve.

10. Listening slalom: follow the speaker and number the boxes accordingly

1. Myriam	2. René	3. Trini	4. Sofía
(1) Me despierto	Me levanto (2)	Me ducho (3)	Salgo del colegio (4)
Luego voy al gimnasio (3)	**Luego me levanto (1)**	Luego desayuno (2)	Luego me visto (4)
Después vuelvo a casa (4)	Después me visto (2)	Después preparo mi mochila (3)	**Después me ducho (1)**
Y luego salgo de casa (1)	Y luego salgo de casa (3)	Y luego me peino (2)	Y luego descanso un poco (4)
Finalmente, hago mis deberes (2)	Finalmente, me visto (4)	**Finalmente, mi padre me lleva al colegio en coche (1)**	Finalmente, voy al colegio (3)

Literally no room on this page for a transcript, ¡lo siento! Dylan

11. Narrow listening - Gapped translation

My name is Pepe. I am **12**. I am from **Madrid**. My daily routine is very **simple**. Generally, I get up **early**, at around 5:30 am. Then I shower and **put** on my uniform. **Then,** I have breakfast with my brothers. Then I **brush my teeth** and prepare my **rucksack**. At around **7:15 am** I leave home and go to school. I **return** home at around four. Then I rest **a bit**. Generally I read my **favourite** comics. From six to **seven** I do my homework. Then, at eight, I have **dinner**. I don't eat **meat**. Afterwards, I read a **book** or go on the **Internet**. Then I **go to bed** at 10:35 pm.

TRANSCRIPT: Me llamo Pepe. Tengo **12** años. Soy de **Madrid**. Mi rutina diaria es muy **simple**. En general, me levanto **temprano**, a eso de las cinco y media. Luego me ducho y me pongo el uniforme. **Después**, desayuno con mis hermanos. Luego me **lavo los dientes** y preparo mi **mochila**. A eso de las siete y **cuarto** salgo de casa y voy al colegio. **Vuelvo** a casa a eso de las cuatro. Entonces descanso **un poco**. Generalmente leo mis tebeos **favoritos**. De seis a **siete** hago mis deberes. Luego, a las ocho, **ceno**. No como **carne**. Después, leo un **libro** o me meto en **Internet**. Luego **me acuesto** a las diez y treinta y cinco.

12. Fill in the grid: What do the different people do?

	I (Verónica)	My mother	My father	My sister
At 7:30	shower	prepares breakfast	shaves	gets dressed
At 8:15	I go to school by bike	goes to work	arrives at work	goes to university
At 12:00	I have chicken with chips	has a salad	has a steak with vegetables	goes to the gym
From 3:00 to 4:00	play basketball with friends	comes back home (on horse)	is in the office	goes to her biology lesson
From 6:00 to 8:00	I do my homework	goes to the sports centre	comes back home (by bus)	plays on the computer
From 8:30 to 11:00	surf the web	watches a series on Netflix	watches videos on Youtube	chats with her friend, Felipe

TRANSCRIPT: ¡Hola! Me llamo **Verónica** y vivo en el campo. Todos los días a las 7:30 me ducho. Luego salgo de casa y voy al colegio en bicicleta, a las 8:15. A mediodía almuerzo pollo con patatas fritas. Más tarde, de 3 a 4 juego al baloncesto con mis amigos. A las 6 hago mis deberes por 2 horas y luego a las 8:30 me meto en Internet para ver Tiktoks de gente bailando. **Mi madre** prepara el desayuno a las 7:30 y luego va al trabajo a las 8:15. A mediodía ella come una ensalada. A las 3 vuelve a casa a caballo. Luego va al polideportivo a las 6. Finalmente, a las 8:30 descansa viendo una serie en Netflix. **Mi padre** se despierta a las 7 y se afeita a las 7:30. Llega al trabajo pronto, a las 8:15. A mediodía come un bistec con verduras. De 3 a 4 está en la oficina. Luego a las 6 vuelve a casa en autobús. Antes de dormir, de 8:30 a 11 ve vídeos en Youtube. **Mi hermana** se levanta a las 7:15 y se viste a las 7:30. Luego va a la universidad a las 8:15. Estudia ciencias. A mediodía va al gimnasio. Luego a las 3 va a su clase de biología. De 6 a 8 juega en su ordenador y un poco más tarde, a las 8:30 charla con su amigo, Felipe.

UNIT 17 – DESCRIBING MY HOUSE

1. Multiple choice quiz

	a	b	C
1. Yo vivo	**en una casa**	en un piso	en una granja
2. Mis abuelos viven	en el centro	en las afueras	**en la montaña**
3. Mis tíos viven	**en el campo**	en una zona residencial	en el centro
4. Mi mejor amigo vive	en la costa	**cerca de la playa**	en el centro
5. Mis abuelos maternos viven	**a orillas del mar**	en el campo	en la montaña
6. Mis abuelos paternos viven	en una casa nueva	**en una casa vieja**	en una casa fea

TRANSCRIPT:
(1) Vivo en una casa. **(2)** Mis abuelos viven en la montaña. **(3)** Mis tíos viven en el campo. **(4)** Mi mejor amigo vive cerca de la playa **(5)** Mis abuelos maternos viven a orillas del mar. **(6)** Mis abuelos paternos viven en una casa vieja.

2. Listening slalom: follow the speaker from top to bottom and number the boxes accordingly

1	2	3	4
Vivo en una casa (1)	Vivo en un piso (2)	Vivo en un chalet (3)	En mi casa (4)
viejo (2)	**grande y bonita (1)**	hay seis (4)	pequeño (3)
pero bastante acogedor (3)	habitaciones. (4)	**en las afueras (1)**	pero muy acogedor (2)
Mi habitación (4)	en la costa. (2)	en la montaña. (3)	**de Madrid. (1)**
Mi habitación (2)	preferida (4)	**Me encanta mi casa (1)**	Mi cuarto (3)
favorito es (3)	**porque es (1)**	preferida es (2)	es (4)
la terraza. (2)	el salón. (4)	**nueva y moderna. (1)**	mi dormitorio. (3)

TRANSCRIPT:
(1) Vivo en una casa grande y bonita en las afueras de Madrid. Me encanta mi casa porque es nueva y moderna.
(2) Vivo en un piso viejo pero muy acogedor en la costa. Mi habitación preferida es la terraza.
(3) Vivo en un chalet pequeño pero bastante acogedor en la montaña. Mi cuarto favorito es mi dormitorio.
(4) En mi casa hay seis habitaciones. Mi habitación preferida es el salón.

3. Spot the differences and correct your text

Me llamo Miquel y **soy** de Vic, cerca de Barcelona. Tengo **catorce** años. Tengo el pelo **rubio** y los ojos **verdes**. Físicamente soy alto y **delgado**. De carácter soy **hablador** y bastante **simpático**. Me llevo bien con mi familia porque son todos muy **amables**. Mi comida preferida es **la lechuga**. La como todos los días, como **un** caracol. Soy muy deportista, y en mi tiempo libre me gusta hacer **footing**, jugar al tenis, ir **al gimnasio** y hacer **escalada**. Por lo general, me **levanto** muy temprano, a eso de las seis y me acuesto **a medianoche**. Vivo en una casa muy **grande y vieja** en el centro de Barcelona, en **la costa**. Me encanta mi casa. Mi habitación favorita es el salón porque es muy **espacioso** y está muy bien amueblado.

4. Spot the missing words and write them in

Me llamo Fabrizio. Soy **de** Italia. Vivo en **una** casa grande y bonita en la costa. Me gusta **mucho**. En mi casa **hay** diez habitaciones y mi habitación favorita **es** la cocina. Me gusta cocinar en la **cocina** con mi madre. Siempre me levanto, me ducho en el cuarto **de baño** y luego me visto en mi dormitorio. Juego **con** el ordenador **a** menudo en el salón. Mi amigo Pablo vive en una casa **pequeña** en la montaña. Es una casa muy vieja **pero** muy acogedora. Pablo es **muy** gracioso y trabajador. No **le** gusta su casa porque es muy pequeña.

5. Faulty translation: correct the translation

My name is Ramón, I am from Barcelona, in **Cataluña**. My **apartment** is on the **outskirts** of the city and I live **near** the coast. In my house I speak Catalan and Spanish. Catalan is a beautiful and very **old** language. I live in a big, **new** and beautiful apartment. The rooms are very **spacious**. **We have** a huge garden with a small **swimming pool**. My **rabbit** lives in the garden. Its name is Paco. My favourite **room** in my apartment is the **dining room** because I love eating. I love relaxing in my **bedroom**. I always watch **cartoons** and series on Netflix. I also do **my homework** in there.

TRANSCRIPT:
Me llamo Ramón, soy de Barcelona, en **Cataluña**. Mi **piso** está en **las afueras** de la ciudad y vivo **cerca** de la costa. En mi casa hablo catalán y español. El catalán es una lengua hermosa y muy **antigua**. Vivo en un piso grande, **nuevo** y bonito. Las habitaciones son muy **espaciosas. Tenemos** un jardín enorme con una pequeña **piscina**. Mi **conejo** vive en el jardín. Se llama Paco. Mi **habitación** favorita en mi piso es el **comedor** porque me encanta comer. Me encanta relajarme en mi **dormitorio**. Siempre veo **dibujos animados** y series en Netflix. También hago **mis deberes** allí.

6. Fill in the grid

	Description of house	Favourite part of the house
1	Old	Garden
2	Beautiful	Bathroom
3	New	Living room
4	Ugly	Dining room
5	Small	Own Bedroom
6	Spacious	Play room
7	Modern	Living room
8	Big	Terrace

TRANSCRIPT:
1. Vivo en una casa vieja. Prefiero el jardín.
2. Vivo en una casa bonita. Me encanta el cuarto de baño.
3. Nosotros vivimos en una casa nueva. El salón es mi habitación preferida.
4. Vivo en una casa muy fea. La única habitación que me gusta es el comedor.
5. Vivimos en una casa pequeña. Me encanta mi dormitorio.
6. Vivimos en una casa espaciosa. Prefiero la sala de juegos.
7. Vivo en una casa moderna. Me encanta el salón.
8. Vivimos en una casa grande. Para mí, la terraza es la mejor parte de la casa.

7. Gapped sentences
a. Vivo en una casa grande y **bonita.**
b. Mi casa está en las **afueras** de Valencia.
c. También tengo una casa en el **campo.**
d. Mi mejor amigo vive en un piso muy **pequeño** en el centro de la **ciudad.**
e. Mi novia vive en una zona **residencial** en la **costa** en un piso muy **pequeño.**
f. Mis abuelos viven en la **montaña.**
g. Mi tío favorito, Alfonso, vive en un **bloque** de pisos en el centro de Madrid.

8. Listen, spot and correct the spelling and grammar errors
Me llamo Penny. Soy **inglesa** y vivo en **una** casa muy **vieja** pero muy bonita en el campo, **en** Italia. ¡Me **encanta** mi casa! En mi casa **hay** 5 **habitaciones** pero mi habitación **favorita** es el salón. Todos **los** días, después **del** colegio me gusta **relajarme** en el salón y ver **la** televisión con mi hermana. ¡No me gusta el cuarto **de** baño porque a veces hay **ratas**! Tenemos una **sala de juegos** bastante grande donde mi hermano y yo **jugamos** a la Play.

9. Complete (in English) with the correct details

	Consuelo	Felipe	Jaime
Town	Bilbao (España)	Lima (Perú)	Bogotá (Colombia)
Description of house (2 details)	Small and old	Beautiful and spacious	New but ugly
Location of house	Outskirts	City-centre	Countryside
Favourite room	Kitchen	Bedroom	Living room
Another room they like	Bedroom	Garden	Play room
Room they hate	Dining room	Living room	Bathroom

TRANSCRIPT:
1. Hola, ¡soy Consuelo! Soy de Bilbao y vivo en una casa vieja y pequeña en las afueras de la ciudad. ¿Mi habitación favorita? Pues, la cocina, pero también me gusta mi dormitorio. Sin embargo, nuestro comedor es feísimo. Lo odio.
2. Hola, soy Felipe y soy de Lima, en Perú. Mi casa es muy bonita y espaciosa. Vivo en el centro de la ciudad. Mi habitación favorita tiene que ser mi dormitorio, aunque el jardín también está bien. La habitación que odio es el salón. Es frío y oscuro.
3. Hola, soy Jaime y soy de Bogotá, en Colombia. Mi casa es nueva, pero fea. Vivo en el campo. Mi habitación favorita es el salón, y también me gusta la sala de juegos. Sin embargo, nuestro cuarto de baño es horrible. ¡Siempre hay cucarachas enormes!

10. Narrow listening - Gapped translation

My house is very **small** and cosy. It is situated on the **outskirts** of Cádiz, a city in the south of Spain, on the **coast, 5** minutes away from La Caleta **beach**. I live in a **residential area**. In my house there are six rooms: a kitchen, a bathroom, a living room, and three **bedrooms**. My favourite room is the **living room** because it is **comfortable**, well-furnished and beautiful. I also like my **room** because I have my Playstation and my **computer**. I like to **relax** and do my homework in there. I hate the **bathroom** because it is too **small** and old. It also smells very **bad.**

TRANSCRIPT:
Mi casa es muy **pequeña** y acogedora. Está situada en las **afueras** de Cádiz, una ciudad en el sur de España, en la **costa,** a **5** minutos de la **playa** de la Caleta. Vivo en una **zona residencial.** En mi casa hay seis habitaciones: una cocina, un baño, un salón y tres **dormitorios**. Mi habitación favorita es **el salón** porque es **cómodo**, bien amueblado y bonito. También me gusta mi **habitación** porque tengo mi Playstation y mi **ordenador**. Me gusta **relajarme** y hacer mis deberes allí. Odio el **cuarto de baño** porque es demasiado **pequeño** y viejo. También huele muy **mal**.

11. Answer the questions in English
1. How old is Oscar? **14**
2. Where is he from? **Spain**
3. Where does he live? **Buenos Aires**
4. What does he look like? (3 details) **Tall, sporty, a bit fat**
5. What is his character like? (3 details)
Sometimes lazy, sometimes hard working, quite funny
6. What are his favourite clothes? (2 details)
Jeans and white t-shirt
7. What's his favourite food? (2) **Salad and seafood soup**
8. At what time does he wake up? **5am**
9. After school he goes for a walk with **his dog** and then he **does his homework**.
10. Does he live in a house or in a flat? **A flat**
11. What is his house/flat like? (2) **Small but comfortable**
12. What is his favourite room? **The kitchen**
13. What is the room he hates the most? **His bedroom**
14. What does he say about his bedroom? (2 details)
It's too small, there's no WIFI

11. TRANSCRIPT:
Hola, soy Oscar y tengo 14 años. Soy de España pero ahora vivo en Buenos Aires con mi familia. Soy alto y deportista, pero un poco gordo. De carácter, a veces soy perezoso, a veces soy trabajador, y también soy bastante gracioso. Casi siempre llevo vaqueros y una camiseta blanca. ¡Me encantan! Mi comida favorita es la ensalada y la sopa de marisco. Por la mañana me despierto a las 5. Después del cole salgo a dar un paseo con mi perro y también hago mis deberes. Vivo en un piso y es pequeño pero cómodo. Me gusta. Mi habitación favorita es la cocina porque siempre hay comida. Sin embargo odio mi habitación porque es demasiado pequeña y no tiene WIFI.

UNIT 18 – SAYING WHAT I DO AT HOME / DAILY ROUTINE

1. Mosaic listening - follow the speaker from left to right and number accordingly

1	**A eso de las siete (1)**	preparo la comida (5)	y juego con el ordenador (4)	en mi dormitorio (2)
2	Por lo general (2)	**desayuno (1)**	películas (3)	en la sala de juegos (4)
3	Cuando tengo tiempo (3)	escucho música y (2)	**en la cocina (1)**	en el salón (3)
4	A menudo (4)	ayudo (6)	con mi madre (5)	**con mis hermanos (1)**
5	A veces (5)	me meto en Internet (4)	hago los deberes (2)	en el jardín (6)
6	Todos los fines de semana (6)	veo (3)	a mi padre (6)	en la cocina (5)

TRANSCRIPT:

1. A eso de las siete, desayuno en la cocina con mis hermanos.
2. Por lo general escucho música y hago los deberes en mi dormitorio.
3. Cuando tengo tiempo veo películas en el salón.
4. A menudo me meto en Internet y juego en el ordenador en la sala de juegos.
5. A veces preparo la comida con mi madre en la cocina.
6. Todos los fines de semana, ayudo a mi padre en el jardín.

2. Listen and fill in the gaps

a. A menudo **charlo** con mi madre en la cocina.

b. De vez en cuando juego a la Play en la sala de **juegos**.

c. Dos veces a la semana **monto** en bici.

d. A menudo preparo la comida en la **cocina**.

e. Siempre hago mis deberes en el **salón**.

f. Por lo general me ducho en el **cuarto** de baño de mis padres.

g. Cuando hace buen tiempo, **leo** revistas en el jardín.

h. Nunca **veo** la tele en **el** salón con mis padres.

3. Break the flow

a. Nunca veo la tele con mis padres en el salón.

b. Por lo general pongo mi bici en el garaje.

c. Todos los días subo fotos a Instagram.

d. Una o dos veces a la semana preparo la comida en la cocina.

e. Nunca desayuno con mis hermanos en el comedor.

f. Por lo general después del colegio veo la tele en mi dormitorio.

4. Faulty translation: what, how often, where? Listen and correct the errors

	What do they do	How often	Where
1	Chats with his mother	**often**	**in the kitchen**
2	Helps father	once a week	**in the garden**
3	**Plays on Playstation**	every day	**in the games room**
4	Does homework	**three times a week**	in the living-room
5	Goes on the Internet	often	**in his brother's room**
6	**Has lunch**	every day	in the dining room
7	Prepares food	**always**	in the kitchen
8	Rides his bike	**normally**	**in the garden**

TRANSCRIPT:
1. Hola, soy Jorge. Charlo con mi madre a menudo, en la cocina.
2. Ayudo a mi padre una vez a la semana, en el jardín.
3. Juego a la Play todos los días, en la sala de juegos.
4. Hago mis deberes tres veces por semana, en el salón.
5. Me meto en Internet a menudo, en la habitación de mi hermano.
6. Almuerzo todos los días en el comedor.
7. Siempre preparo la comida en la cocina.
8. Normalmente monto en bici en el jardín.

5. Likely or Unlikely? – write L or U next for each sentence you here explaining why

1	U	Me ducho en la cocina.
2	L	Veo la tele en mi dormitorio.
3	L	Desayuno en el comedor.
4	U	Preparo la comida en el cuarto de baño.
5	L	Pongo mi bici en el garaje.
6	L	Hago mis deberes en el salón.
7	U	Me lavo los dientes en el dormitorio de mis padres.
8	U	Monto en bici en la ducha.

6. List the activities in the correct order in which Felipe does them

5	I do my homework
6	I go on the internet
7	I listen to music
1	**I have breakfast**
2	I read my favourite comics
4	I leave the house
8	I watch a movie
3	I brush my teeth
9	I rest in my bed

TRANSCRIPT:
1. Primero, desayuno.
2. Luego, leo mis tebeos favoritos.
3. Entonces, me lavo los dientes.
4. Salgo de casa a las 8.
5. Hago los deberes en mi dormitorio.
6. Me meto en Internet por una hora.
7. Escucho música en el salón.
8. Veo una película con mi hermano.
9. Finalmente, descanso en mi cama.

7. Listen to the verbs and add them in where appropriate

a. **Charlo** con mi madre
b. **Monto** en bici
c. **Preparo** la comida
d. **Hago** mis deberes
e. **Me lavo** los dientes
f. **Desayuno** cereales
g. **Subo** fotos a Instagram
h. **Veo** películas

TRANSCRIPT: **(1)** Monto **(2)** Hago **(3)** Charlo **(4)** Me lavo **(5)** Preparo **(6)** Veo **(7)** Desayuno **(8)** Subo

8. Narrow listening - Gapped translation

Every day I get up at five in the morning. Then I **shower** and have breakfast in the **garden**. After that, I brush my teeth and **prepare** my **schoolbag**. Then, I **get dressed** and go to school at **7:30**. Generally, I go by **bike**. When I **return home**, I chat on Skype with my family in Australia and go on the internet in my **bedroom**. Then, I **ride my bike** in the garden with my two **dogs**. Sometimes I watch **cartoons** and upload photos to Instagram in **my brother's room**. Usually, I have dinner at around **8**. After dinner I **watch movies** and then shower. After that I read my favourite **comics** and go to bed at **midnight**.

TRANSCRIPT:
Todos los días me levanto a las cinco de la mañana. Luego **me ducho** y desayuno en el **jardín**. Después de eso, me lavo los dientes y preparo mi **mochila**. Luego, **me visto** y voy a la escuela a las **7:30**. Normalmente, voy en **bicicleta**. Cuando **vuelvo a casa**, chateo por Skype con mi familia en Australia y me meto en Internet en mi **habitación**. Luego, **monto en bicicleta** en el jardín con mis dos **perros**. A veces veo **dibujos animados** y subo fotos a Instagram en **la habitación de mi hermano**. Por lo general, ceno a eso de las **8**. Después de cenar **veo películas** y luego me ducho. Entonces, leo mis **tebeos** favoritos y me acuesto a **medianoche**.

9. Sentence puzzle - Listen and rewrite correctly

1. Siempre me despierto temprano, a eso de las seis menos diez.
2. Para el desayuno solo como un huevo hervido y dos tostadas con mermelada.
3. Salgo de casa a las siete menos cuarto y voy al colegio en bici.
4. Tengo un hermano que se llama Joe y es muy perezoso y antipático.
5. Todos los días monto en bici en el jardín con mis dos perros.
6. Por lo general, después de cenar veo la tele en el salón con mis padres, o sola.

10. Answer the questions about Maya

1. At what time does she usually get up?
6.45
2. How does she go to school?
On foot
3. What is her favourite school subject?
Spanish
4. What two sports does she usually do after school?
Basketball / Weights
5. Where does she usually chat with her mother?
On the terrace or in the kitchen
6. In which room does she do her homework?
The living room
7. What does she never do during dinner?
Watches TV with parents
8. What three things does she always do after dinner?
Reads comics, chats on Skype, uploads videos on Youtube
9. What two things does she do before going to bed?
Showers and brushes her teeth
10. At what time does she go to bed?
Midnight

10. Answer the questions about Maya

TRANSCRIPT:

Hola, soy Maya y tengo 15 años. Entre semana siempre me levanto a las 6:45. Luego voy al colegio a pie con mi hermano. Mi asignatura favorita es el español porque es divertido, fácil y útil para el futuro. Después del colegio juego al baloncesto y hago pesas en el gimnasio. Cuando vuelvo a casa normalmente charlo con mi madre, a veces en la terraza y otras veces en la cocina. Hago mis deberes en el salón todos los días. Cuando ceno nunca veo la tele con mis padres porque ellos ven series muy aburridas. Después de la cena leo tebeos, chateo por Skype y subo vídeos a Youtube. Antes de acostarme me ducho y me lavo los dientes. Me acuesto a medianoche. ¡Adiós!

READING ALOUD – PART 3

1.Read the text below silently, focusing especially on the words in bold. Then listen to the audio track to check if you got the pronunciation right and have a go at reading it aloud.

Hola, yo me llamo Ariela. Soy graciosa y también alta. Mi ropa favorita son mis vaqueros viejos. Son viejos pero cómodos. Cuando hace buen tiempo hago footing y voy al parque. Cuando hace mal tiempo juego al ajedrez y veo la tele. Cuando hace calor siempre voy a la playa.

Mi madre es amable y alegre. Siempre lleva un vestido blanco. Es su favorito. Cuando hace buen tiempo mi madre va de paseo con el perro. También juega al tenis. Cuando hace mal tiempo ve series en la tele y juega a las cartas con su mejor amigo.

Mi padre es trabajador y muy guapo. Prefiere llevar una camisa negra. Cuando hace buen tiempo hace equitación y va a la piscina; pero cuando hace mal tiempo juega a las cartas o hace su trabajo. No le gusta el calor, así que cuando hace calor se queda en casa.

Mi hermana es perezosa y delgada. Siempre lleva una camiseta rosa. Es su favorita. Cuando hace buen tiempo siempre va a la playa y toma el sol. Sin embargo, cuando hace mal tiempo prefiere leer libros y escuchar música. Cuando hace calor ella siempre va al parque.

2. Underline any word you are not sure you can pronounce correctly. Then listen to the audio track focusing on those words and read the text aloud to yourself.

Me llamo Carlos, soy español. Mi rutina diaria es muy simple. En general, me levanto muy temprano, a eso de las 5:00. Hago footing y luego me ducho y desayuno. Después, a eso de las 6:45, desayuno con mi madre. Normalmente como un huevo o dos y tomo un poco de pan. A eso de las 8:00 salgo de la casa y voy al colegio en bicicleta. Vuelvo a casa a eso de las 4:30. Entonces, descanso un poco. En general, veo una película y chateo con mis amigos en Whatsapp. De 6:00 a 8:00 hago mis deberes. ¡Odio hacer mis deberes! Luego, a eso de las 7:45, ceno con mi familia. No como mucho. Solo una ensalada y algo de pollo o pescado. Después, juego a la Play hasta las 11:00. Finalmente, me acuesto.

3. Underline any word you are not sure you can pronounce correctly. Then listen to the audio track focusing on those words and read the text aloud to yourself.

1. Hola, ¡soy Marco! Soy de Bilbao y vivo en una casa vieja y pequeña en las afueras de la ciudad. ¿Mi habitación favorita? Pues, la cocina, pero también me gusta mi dormitorio. Sin embargo, nuestro comedor es feísimo. Lo odio.

2. Hola, soy Felipe y soy de Ceuta. Mi casa es muy bonita y espaciosa. Vivo en el centro de la ciudad. Mi habitación favorita tiene que ser mi dormitorio, aunque el jardín también está bien. La habitación que odio es el salón. Es frío y oscuro.

3. Hola, soy Jaime y soy de Melilla. Mi casa es nueva, pero fea. Vivo en el campo. Mi habitación favorita es el salón, y también me gusta la sala de juegos. Sin embargo, nuestro cuarto de baño es horrible. ¡Siempre hay cucarachas enormes!

UNIT 19 – TALKING ABOUT FUTURE PLANS AND HOLIDAYS

1. Listen and fill in the gaps

1. Este verano **voy** a ir de vacaciones a Cuba.
2. Voy a viajar en **avión**.
3. Vamos a **pasar** una semana allí.
4. **Será** divertido.
5. Voy a **quedarme** en un hotel de lujo.
6. Voy a **bailar**.
7. Vamos a **ir de compras**.
8. Me gustaría **hacer buceo**.
9. Nos gustaría **hacer deporte**.

3. Listen and tick the correct details

Pablo	**va a ir a Japón**
	va a ir en barco
	va a quedarse en un hotel de lujo
	va a comer mucho Sushi
	va a ir de marcha
Ana	va a ir a Italia
	va a ir en tren
	va a quedarse en un camping
	va a hacer turismo
	va a comer mucha pasta y pizza
Conchi	va a ir a Francia
	va a ir en bici
	va a quedarse en un albergue juvenil
	va a ir a la playa
	va a visitar sitios históricos
Selina	**va a ir a Grecia**
	va a ir en avión y en barco
	va a hacer buceo
	va a hacer turismo
	va a comer mucha ensalada griega

2. Spot the differences and correct your text

a. Este **verano** voy a ir de vacaciones a México.

b. Voy a pasar **dos semanas** allí.

c. Voy a ir con mi **novia**.

d. Vamos a quedarnos en un hotel **barato**.

e. Voy a hacer **deporte**.

f. Mi **hermano** va a comprar **ropa**.

g. Vamos a ir a la **playa**.

h. Voy a **tomar el sol**.

i. Me gustaría **hacer buceo**.

j. Nos gustaría ir de **compras**.

4. Write in the missing words

Este verano voy a ir **de** vacaciones a Roma, **en** Italia. Voy **a** ir en avión. Vamos a pasar una semana **allí**. Vamos **a** quedarnos en un hotel **de** lujo. **Yo** voy a ir de marcha. Mis hermanas van a ir **de** compras y mis padres van **a** comprar recuerdos y a hacer turismo porque **hay** muchos sitios históricos **allí**.

5. Guess what comes next then listen to see how many you guessed right

a. Voy a ir de vacaciones en **barco**.

b. Voy a pasar **cinco** días allí.

c. Voy a quedarme en **un hotel**.

d. Por la mañana voy a ir **a la playa**.

e. Por la tarde voy a hacer **turismo**.

f. Por la noche voy a ir **de marcha**.

6. Multiple choice quiz

	a	b	c
1	He is Swiss	**He is Swedish**	He is Russian
2	He is travelling by train	He is travelling by plane	**He is travelling by boat**
3	**He is travelling alone**	He is travelling with his friend	He is travelling with his family
4	He is staying in a cheap hotel	He is staying in a three-star hotel	**He is staying in a luxury hotel**
5	**He is staying there for 2 weeks**	He is staying there for 3 weeks	He is staying there for 10 days
6	He is going to scuba dive	**He is going to go clubbing**	He is going to eat and sleep
7	He will also go sightseeing	He will also go shopping	**He will also sunbathe**
8	It will be fun	**It will be cool**	It will be expensive

TRANSCRIPT:
(1) Es sueco. **(2)** Va a viajar en barco. **(3)** Va a viajar solo. **(4)** Va a quedarse en un hotel de lujo. **(5)** Va a pasar 2 semanas allí. **(6)** Va a ir de marcha. **(7)** Va a tomar el sol. **(8)** Será guay.

7. Faulty translation: spot the translation errors and correct them

This **summer** I am going on holiday to Cuba. I am going there by **plane**. I am going to go there with my **family**. We are going to spend ten **days** there. We are going to stay in a **good** hotel in La Habana, the capital of Cuba. It is a **beautiful** place with a great nightlife. There are lots of **beaches** and our hotel is very **near** the beach. Every day I am going to go to the **beach**. In the morning I am going to swim and **scuba dive**. I will also **sunbathe**. In the afternoon we will **go sightseeing**. My parents will **buy souvenirs** and my sister will **read** lots of **books**, as always. For dinner we will go to **local** restaurants. We will eat a lot of **fish** and **seafood**. We will also **dance** a lot of Salsa, the famous Cuban dance.

TRANSCRIPT:
Este **verano** me voy a ir de vacaciones a Cuba. Voy a viajar en **avión**. Voy a ir allí con mi **familia**. Vamos a pasar diez **días** allí. Nos vamos a alojar en un hotel **bueno** en La Habana, la capital de Cuba. Es un lugar **hermoso** con una gran vida nocturna. Hay muchas **playas** y nuestro hotel está muy **cerca** de la playa. Todos los días voy a ir a la **playa**. Por la mañana voy a nadar y **bucear**. También voy a **tomar el sol**. Por la tarde vamos a **hacer turismo**. Mis padres van a **comprar recuerdos** y mi hermana va a leer muchos **libros**, como siempre. Para la cena iremos a restaurantes **locales**. Comeremos mucho **pescado** y **marisco**. También vamos a **bailar** mucha Salsa, el famoso baile cubano.

8. Listen, spot and correct the spelling and grammar errors

Este verano voy **a** ir de vacaciones **en** avión. Voy **a** pasar dos **semanas** allí. Voy a ir con **toda mi** familia. Vamos a **quedarnos** en un **hotel de lujo** con piscina cerca de la playa. Por **la mañana** vamos a ir a la playa. Por la tarde vamos a ir **de** compras y a hacer turismo. A eso de las ocho vamos **a** cenar en **restaurantes** locales para comer platos **típicos**. Por la noche, mi hermana y yo **vamos** a ir de marcha. También, me **gustaría** aprender a bailar salsa. Lo **pasaremos** bomba.

9. Complete (in English) with the correct details

Holiday destination	Cancún, Mexico
Means of transport	Plane
Duration	12 days
Who with	Her boyfriend
Accomodation	A luxury hotel
Activities	1. Rest 2. Scuba diving 3. Clubbing

9. Transcript

Para las próximas vacaciones de verano voy a ir Cancún, en México. Voy a viajar en avión y voy a pasar 12 días allí con mi novio. Vamos a quedarnos en un hotel de lujo. Durante las vacaciones quiero hacer 3 cosas: quiero descansar, hacer buceo y también me gustaría ir de marcha por la noche.

10. Listen and arrange the information in the same order as it occurs in the text

1	**My name is Gabriela**
4	We are going to stay there nine days
2	This summer I am going to go on holiday to Costa Rica
7	The hotel is near the beach
9	We are going to sunbathe
5	We are going to go by ship
8	We are going to go to the beach every day
6	We are going to stay in a four-star hotel
12	We are going back home on 13th July
10	We are going to scuba dive
3	I am going to go with my best friends
11	At night we are going to go clubbing

TRANSCRIPT: (1) Me llamo Gabriela. **(2)** Este verano voy a ir de vacaciones a Costa Rica. **(3)** Voy a ir con mis mejores amigas. **(4)** Vamos a pasar 9 días allí. **(5)** Vamos a viajar en barco **(6)** Vamos a quedarnos en un hotel de 4 estrellas. **(7)** El hotel está cerca de la playa. **(8)** Vamos a ir a la playa todos los días. **(9)** Vamos a tomar el sol. **(10)** Vamos a bucear **(11)** Por la noche vamos a ir de marcha. **(12)** Vamos a volver a casa el 13 de julio.

11. Listen to Carlos and answer the questions below in English

1. Where is he going on holiday? (two details) **Almería, in south of Spain**
2. When does his holiday begin? **On 20th June**
3. How long for? **Two weeks**
4. How is he travelling? **Car**
5. Who with? **His friend**
6. Who are they staying with? **With his friend's cousin**
7. What is the name of the nearby town where they will stay? **Aguadulce**
8. What are they going to do there? (4 details)

a. Go to the beach **b. Sunbathe**
c. Eat local food **d. Do (a bit of) sightseeing**

TRANSCRIPT:
Hola, soy Carlos. Este verano voy a ir de vacaciones a Almería, en el sur de España. Mis vacaciones empiezan el día 20 de junio. Voy a pasar dos semanas allí y voy a viajar en coche, con mi amigo. Vamos a quedarnos en casa del primo de mi amigo. Su primo vive en un pueblo que se llama Aguadulce, está en la costa, a 10 minutos de Almería. Una vez allí vamos a ir a la playa, tomar el sol, comer comida local y hacer un poco de turismo.

12. Narrow listening: fill in the grid

	Carolina	**Benicio**	**Sofía**	**Mateo**
Destination	South of France	Northern Italy	South of Spain	Japan
Who with	Girlfriend	Family	Three friends	Best friend
Departure date	20th May	1st July	15th August	30th September
How long for	1 month	2 weeks	5 days	1 week
Accommodation	A friends' house	Farm	Expensive hotel	Cheap hotel
Location	Mountain	Countryside	Coast	Centre of the city
Activities	1. Skiing 2. Climbing 3. Eating and sleeping	1. Resting 2. Hiking 3. Horse riding	1. Swimming 2. Scuba diving 3. Sunbathing	1. Sightseeing 2. Shopping 3. Clubbing

TRANSCRIPT: (1) Hola, soy **Carolina**. Este verano voy a ir de vacaciones con mi novia al sur de Francia. Saldremos el 20 de mayo y pasaremos un mes allí. Vamos a quedarnos en casa de una amiga. Nuestra amiga vive en la montaña. Durante las vacaciones vamos a hacer esquí, escalada y vamos a comer y dormir mucho.
(2) Hola, soy **Benicio**. Este verano voy a ir de vacaciones con mi familia al norte de Italia. Saldremos el uno de julio y pasaremos dos semanas allí. Vamos a quedarnos en una granja en el campo. Durante las vacaciones vamos a descansar, hacer senderismo y hacer equitación. ¡Me encantan los caballos!
(3) Hola, soy **Sofía**. Este verano voy a ir de vacaciones con tres amigas al sur de España. Saldremos el 15 de agosto y pasaremos 5 días allí. Vamos a quedarnos en un hotel caro. El hotel está en la costa. Durante las vacaciones vamos a nadar, hacer buceo y tomar el sol.
(4) Hola, soy **Mateo**. Este verano voy a ir de vacaciones con mi mejor amigo a Japón. Saldremos el 30 de septiembre y pasaremos una semana allí. Vamos a quedarnos en un hotel barato en el centro de la ciudad. Durante las vacaciones vamos a hacer turismo, ir de compras y también ir de marcha.

Milton Keynes UK
Ingram Content Group UK Ltd.
UKHW050726030624
443491UK00011B/221